WILLY STEPUTAT

REIMLEXIKON

NEU BEARBEITET VON
KARL MARTIN SCHILLER

PHILIPP RECLAM JUN. STUTTGART

Universal-Bibliothek Nr. 2876-78/78a/b
Alle Rechte vorbehalten. © Philipp Reclam jun. Stuttgart 1963.
Gesetzt in Kolonel Futura. Printed in Germany 1974. Herstellung:
Reclam Stuttgart
ISBN 3-15-002876-0 (kart.)   3-15-002877-9 (geb.)

VORWORT

Der Reim entspringt einer Neigung des Menschen, mit seiner Sprache zu spielen; genauer: Worte mit gleichklingenden Bestandteilen zusammenzustellen. Schon die Kinder tun das, wenn sie einander mit ihren Namen necken: Paul, Paul — Lügenmaul!; ihre Auszählverse bilden sie oft mit Hilfe des Reims; und was sie an kleinen Liedern singen, ist vielfach nichts weiter als hübsch gereimter Unsinn — und doch beginnt mit alledem der Reim bereits ein Mittel dessen zu werden, was wir Dichtung nennen.

Auch Goethe läßt den Reim aus heiterem Spiele geboren werden. Zweimal hat er so die Entstehung des Reimes anschaulich-dichterisch dargestellt: im „West-östlichen Divan", wo er seine Erfindung einem persischen Liebespaar zuschreibt:

Behramgur, sagt man, hat den Reim erfunden.
Er sprach entzückt aus reiner Seele Drang;
Dilaram schnell, die Freundin seiner Stunden,
erwiderte mit gleichem Wort und Klang —

und im zweiten Teile des „Faust", im dritten Akt, wo er Faust die Helena im heiteren Reimspiel unterrichten läßt, das aber zugleich, wie nebenher, jedoch höchst bedeutsam, dem beiderseitigen Liebesbekenntnis dient. Aus zwei eins machen, das ist der tiefere Sinn der Paarung verschiedener Worte unter dem Zeichen des Reims, will Goethe damit gleichnishaft sagen. Auch hier bedeutet der Reim nicht mehr bloßes Spiel. Ein magischer Vorgang im Rahmen der Sprache vollzieht sich, wenn wir reimen.

Die Dichtkunst kennt verschiedene Arten des Reims. Da gibt es zunächst jenen, der auf den gleichklingenden Anfangslauten betonter Silben beruht: den An- oder Stabreim, die Alliteration. Er ist kennzeichnend für die altdeutsche und germanische Dichtung; im „Hildebrandslied" klagt der alte Hildebrand: „Welaga nu, waltant got! Wewurt skihit!".

Nachklänge dieser Art des Reimens treffen wir bei einigen neueren Dichtern an, die der Darstellung altdeutscher Stoffe mit Hilfe des Stabreims ein altertümliches Gepräge verleihen wollen: bei Wilhelm Jordan, bei Richard Wagner. Die zweite Reimart, die Assonanz, beruht auf dem Gleichklang der Vokale betonter Silben. Sie ist fast ganz auf die vokalreichen romanischen Sprachen beschränkt; unser Ohr empfindet Wortpaare wie schlafen und haben oder Mond und Tod überhaupt nicht als Reime; ihre Verwendung in den romanisierenden Dichtungen einiger deutscher Romantiker (beispielsweise in Brentanos „Romanzen vom Rosenkranz") nehmen wir nur als Klangspiel im allgemeinen, nicht aber als Reimung in unserem Sinne wahr. Wenn wir von Reim reden, meinen wir stets den Endreim, der in der Übereinstimmung ganzer Silben vom letzten betonten Vokal an bis zum Ende des Wortes besteht. Dieser Endreim beherrscht unsere und die gesamte europäische Dichtung, soweit sie überhaupt gereimt ist, vom Mittelalter an bis auf den heutigen Tag und ist im Laufe der Zeit immer mehr kultiviert worden. Es wird von „Reimkunst" gesprochen.

Der Reim ist eng an den Vers, das heißt die Gedichtzeile gebunden – obwohl es genug Verse ohne Reim gibt, wie zum Beispiel den englischen Blankvers, der als fünffüßiger Jambus in der dramatischen Dichtung unserer Klassik vorherrschte. Der Reim ist aber nicht nur ein schmückendes Beiwerk, eine gefällige Zutat zum Vers. Er hilft den Vers geradezu bilden, indem er das Ende der Verszeile unüberhörbar markiert – es ist bezeichnend, daß im Mittelhochdeutschen mit dem Wort Reim noch schlechthin Vers gemeint war; erst seit Opitz hat es sich vom Begriff des Verses emanzipiert und seine heutige Bedeutung angenommen. Dazu kommt noch ein weiteres: Der Reim verbindet zugleich durch seinen Klang zwei oder mehrere Verszeilen miteinander, und damit ist er auch mitbeteiligt an der Gestaltung des Versgefüges des gesamten Gedichts. Dafür gibt es natürlich unendlich viele Möglichkeiten. Einige Leitschemata sind jedoch leicht zu erkennen.

Das einfachste ist die paarige Reimung, bei der durch das ganze Gedicht hindurch immer zwei unmittelbar aufeinanderfolgende Verszeilen reimen (das Schema: a a, b b, c c, d d usw):

Als Kaiser Rotbart lobesam
durchs Heil'ge Land gezogen kam,
da mußt' er mit dem frommen Heer
durch ein Gebirge wüst und leer.
Daselbst erhub sich große Not.
Viel Steine gab's und wenig Brot . . . (Uhland)

Kaum weniger häufig läßt sich die kreuzweise Reimung finden, bei der in einer immer wiederkehrenden Versvierer-
gruppe der erste und dritte, der zweite und vierte Vers reimen (Schema: a b a b):

Füllest wieder Busch und Tal
still mit Nebelglanz,
lösest endlich auch einmal
meine Seele ganz. (Goethe)

Mitunter reimen hier auch nur die zweite und vierte Zeile,
eine Anordnung, die im Volkslied und im einfachen, ihm verwandten Gedicht vorkommt, so beispielsweise in Goethes:

Ich ging im Walde
so für mich hin,
und nichts zu suchen,
das war mein Sinn.

Bei der verschränkten oder umarmenden Reimung sind –
gleichfalls in einer Vierergruppe – die ersten und vierten,
also die äußeren, und die zweiten und dritten, also die inne-
ren Zeilen aufeinander bezogen (Schema: a b b a):

Wenn der Schnee ans Fenster fällt,
lang die Abendglocke läutet,
vielen ist der Tisch bereitet,
und das Haus ist wohlbestellt. (Trakl)

Beim Schweifreim werden in einer Sechsergruppe von Versen
die ersten beiden, die vierten und fünften und die dritten
und letzten Zeilen gereimt (Schema: a a b c c b):

Der Mond ist aufgegangen,
die goldnen Sternlein prangen
am Himmel hell und klar.

Der Wald steht schwarz und schweiget,
und aus den Wiesen steiget
der weiße Nebel wunderbar. (M. Claudius)

Neben diesen Prototypen gibt es natürlich eine Vielzahl anderer Kombinationsmöglichkeiten, so haben einige, vor allem den romanischen Dichtungsbereichen entlehnte Gedichtformen wie Sonett, Stanze, Terzine ihr eigenes kunstvolles Vers- und Reimgerüst, das innegehalten sein will, wenn nicht die ganze Kunstform zerbrechen soll. Es kommt tatsächlich nicht nur auf die Zahl der Verse bei irgendeiner Strophenform, sondern wesentlich auch auf ihre gegenseitige Zuordnung durch den Reim an. Hierin spiegeln sich alle dichterischen Aussageweisen von anspruchsloser erzählerischer Darbietung bis zur kunstvollen Darstellung diffiziler Vorgänge, vom unmittelbaren Ausdruck eines schlichten Gefühls bis zur feinsinnigen Bekundung differenzierter seelischer Regungen, von vordergründig-drastischer Spruchweisheit bis zur Darlegung komplizierter Gedankenzusammenhänge. Auch dann, wenn ein Gedicht keinem bestimmten Reimschema unterworfen ist, sondern die Reimanordnung wechselt, stellt es das Ideal dar, daß die wechselnde Reimfolge gewissermaßen stets der jeweiligen Aussagenotwendigkeit entspricht.

Belebt wird das Reimklangschema durch die verschiedenen rhythmischen Werte der Reime. Je nachdem, in welcher Silbe des Wortes sich der letzte betonte Vokal befindet, mit dem der reimbegründende Einklang beginnt, unterscheidet man ein-, zwei- und dreisilbige Reime: Baum/Raum; Leben/geben; glühende/blühende. Jeder Art wohnt eine besondere Wirkungsmöglichkeit inne. Danach hat man den einsilbigen Reim auch den stumpfen oder, nicht ohne Berechtigung, den männlichen, den zweisilbigen Reim den klingenden oder, gleichfalls ganz treffend, den weiblichen, den dreisilbigen Reim den gleitenden Reim genannt. Wo einer von ihnen herrscht oder vorherrscht, trägt er Wesentliches zur Gesamtstimmung und zur Gesamtwirkung eines gereimten Gebildes bei. Häufig aber findet ein Wechsel der Reimarten statt. Das geschieht im strophisch ungegliederten Gedicht meist ohne besondere Ordnung, so, wie es sich aus der Aussage ergibt. Im strophisch gegliederten Gedicht hingegen wünscht das klängästhetische Empfinden das gleiche Reimbild für alle Strophen, also daß etwa alle Strophen die Folge: zweisilbiger, einsilbiger, zweisilbiger, einsilbiger Reim innehalten. Wo darin ein Wechsel eintritt, wird das nicht selten als Unordnung, als verwirrende Gegenläufigkeit, als Stauung empfunden. Der Dilettant neigt – aus Mangel an sprachlichem Formgefühl – zu solchem willkürlichen Wechsel; der Meister der dichterischen Aussage allerdings kann auch hier ohne Schaden die Form zerbrechen. Das zum Singen bestimmte Gedicht, das Gedicht in Liedform also, duldet einen solchen Wechsel des Strophenbaus sowieso nicht.

Gewissermaßen der Qualität nach unterscheiden wir reine, unreine und falsche Reime, wobei die letztgenannten eigentlich schon keine mehr sind. Beim reinen Reim stimmen die Reimpartien genau überein. Dabei kann natürlich die Schreibweise völlig verschieden sein; es kommt nur auf den Klang an. Reine Reime sind beispielsweise – auch Flechse/Kleckse/Hexe; treu/Bräu/Boy/ahoi. Unter den unreinen Reimen stehen die vokalisch-unreinen obenan, solche, die gewissermaßen auf einer Verwandtschaft zweiten Grades zwischen Selbstlauten und Doppellauten auf der einen und Umlauten auf der anderen Seite beruhen – Beispiele: Höh'/See; Tränen/Sehnen; blühen/ziehen; Plappermäulchen/ein Weilchen. Unrein in anderer Weise wirken Reime, bei denen die Mitlaute im Reimbereich nicht übereinstimmen. Goethe reimt Winter auf Kinder und raten auf laden; andere Beispiele sind Güte/müde und preisen/heißen. (Nur im Auslaut ist da kein Unterschied, wo müd wie müt, leis wie leiß und Geist wie heißt klingt!) Auch Reime, deren Vokale verschieden lang sind, wie still und viel, alle und Tale, Straßen und verlassen, kamen und zusammen, gelten als unrein. Unsere großen Dichter haben sich nicht gescheut, auch solche Reime zu verwenden; zweifellos stellen sie bei der Armut unserer Sprache an reinen Reimen eine willkommene Bereicherung des Reimbestandes dar, und zuweilen erwächst sogar eine eindringliche klangsymbolische Wirkung aus ihnen. Trotzdem sollte man bedenken, daß auch hier nicht eine Situation ist wie die andere. Oft wird der Zusammenklang beim unreinen Reim von besonderen Umständen entweder günstig oder ungünstig bestimmt. Es ist schon bemerkt worden, daß die Unreinheit vor allem bei

langen Vokalen und Doppellauten deutlicher hörbar wird.
Dann aber kommt es auch auf die Stellung der Reimwörter
an: nahe beieinander vertragen sie sich am wenigsten. Ein
klassisches Beispiel hierfür sind die beiden Verszeilen in
Schillers Ballade „Der Handschuh":

> . . . zwischen den Tiger und den Leun
> mitten hinein —

Der falsche Reim kennt auch solche Anklänge nicht mehr.
Das gilt für die als Reim gemeinte Wortpaarung, bei der
zwar noch die Grundvokale übereinstimmen, die Konsonanten der Kongruenzpartien indessen völlig verschieden sind.
Sie kommen zahlreich in unserer Volksdichtung vor. Die Kinder „reimen":

> Drei Mädchen wollten Wasser holn,
> drei Buben wollten pumpen.
> Da guckt' der Herr zum Fenster raus
> und sagt': Ihr seid Halunken.

Auch in Volks- und Marschliedern treten sie auf, wo sie, da
beim Singen ja fast nur der Vokal zur Geltung kommt, freilich kaum auffallen. Hierher gehört jedoch auch der viel-
zitierte Reim in Goethes „Faust":

> Ach neige,
> du schmerzensreiche . . .

Seltener findet man die falschen Reime, bei denen die
Vokale nicht übereinstimmen. Sie sind oft mundartlich bedingt, wie bei Schiller, in dessen Jugendgedichten unbeküm-
mert schwäbisch Menschen auf wünschen, dämmert auf wim-
mert, Träne auf Bühne gereimt wird. An der Grenze zwischen unreinem und falschem Reim stehen die ä/ö-Reime
wie wägen/mögen oder Tränen/versöhnen. Lautbildungs-
weise und Klang sind bei den beiden Vokalen schon zu verschieden, als daß die auf sie gegründeten Reime noch als
schöne Klangverwandtschaft empfunden werden könnten.
   Aber nicht nur die Nichtübereinstimmung der (vermeint-
lichen) Reimwörter stellt einen Kunstfehler dar, sondern ebenso die völlige Kongruenz der Reimsilben, also eine Übereinstimmung unter Einschluß des anlautenden Konsonanten,

8

selbst dann, wenn die Bedeutung der Reimwörter verschieden ist, wie bei Linde/gelinde, Los/los, statt/Stadt. Man trifft solche Reime oft an; so schreibt Ina Seidel:

Seltsam wirkt der Sterne Walten
über unsern dunklen Wegen.
Ihren schweigenden Gewalten
mußt du still ans Herz dich legen.

Wie solche „rührenden" Reime unschön sind, so natürlich auch „identische" mit völlig gleichen Reimwörtern: Liebe/liebe, (das) Streben/streben, hassenswert/wert – ein Reim, der bei Werfel vorkommt. Nur um einer besonderen Wirkung willen kann der identische Reim berechtigt sein. Vielleicht das beste Beispiel dafür gibt Mörikes „Um Mitternacht":

Sie singen der Mutter, der Nacht, ins Ohr
vom Tage,
vom heute gewesenen Tage.

Im übrigen sind der Reimbildung keine Schranken gesetzt. Die Wahl der Reime wird wesentlich von dem Aussagegegenstand und der Aussageweise mitbestimmt, und diese sind wieder eng mit der Persönlichkeit des Schreibers verknüpft. Wie sich der Schreibende der Reimmöglichkeiten bedient, kennzeichnet ihn selbst.

Die ruhige und schlichte Aussage bevorzugt die einfachen Reimwörter. Ihre Zahl ist in der deutschen Sprache nicht groß, und deshalb liegt die Gefahr, sie schematisch zu gebrauchen, nahe. Man bezeichnet manche Reime, die von ihnen gebildet werden, geradezu als „abgedroschene" Reime. Sterne/Ferne, Liebe/Triebe, Herz/Schmerz, mein/allein sind an sich noch nicht banal, finden sich auch in manchem guten Gedicht älterer Dichter, doch haben sie gerade infolge des früheren häufigen Gebrauchs etwas Fatales, indem sie auf Grund geheimer Vorstellungsbeziehungen nunmehr oberflächlich-kliscehehaften Aussagen dienen; aus diesem Grunde ist der neuzeitliche Schlagertext ihr bevorzugter Tummelplatz.

Eine eingehende und energische Darstellung wählt meist von selbst das genauere und ausgeprägtere Reimwort. Das kann wiederum nach der anderen Seite hin bis zum kunstvoll-ungewöhnlichen Reimwort führen. Solche Reimwörter kommen zuweilen schon bei Dichtern der älteren Zeit vor, wie, überraschenderweise, etwa bei Hans Sachs. Aber erst bei neueren Autoren – von Goethe bis Brecht – tritt gleichzeitig mit dem Bestreben nach Bereicherung und Individualisierung der sprachlichen Mittel eine Neigung zum unverbrauchten, ausdrucksreich-ungewöhnlichen Reim auf. Dabei lassen sich deutlich mehrere Gruppen von Neu-Reimen unterscheiden. Vielfach wird der Doppelreim angewendet; er bringt oft vortreffliche Wirkungen hervor, wie in der folgenden Strophe eines der letzten Gedichte Hermann Hesses, der überhaupt diese Art Reim gern verwendet:

> Was du liebtest und erstrebtest,
> was du träumtest und erlebtest –
> ist dir noch gewiß,
> ob es Wonne oder Leid war?
> Gis und As, Es oder Dis –
> sind dem Ohr sie unterscheidbar?

Eine weitere neuzeitliche Reimform ist der gespaltene, das heißt: der auf zwei Wörter verteilte Reim, der etwa lauten kann: Töchter/möcht' er, oft aber auch – wie bei Nachtmahr/ erwacht war – als Doppelreim auftritt. Im ernsten Gedicht wirken solche Reime ein wenig gewollt, vor allem, wenn sie sich häufen, wie in Julius Elias' Übersetzung der Versdramen Ibsens. Ihr eigentliches Feld ist das humoristische Gedicht. Wilhelm Busch hat sie oft angewendet:

> Du, Hans, so rief der Oberkranich,
> hast heut die Wache, drum ermahn ich . . .

Als Spielart des Doppelreims darf der Schüttelreim gelten, bei dem die beiden Reimwörter mit zwei Silben reimen, in denen auch noch die Anfangskonsonanten ausgetauscht sind:

> Die Sonne treibt im Dämmerlicht
> Die weißen Wolkenlämmer dicht. (Benno Papentrigk)

Manche geistreiche und sprachgewandte Männer haben den Schüttelreim virtuos als Mittel für humorvolle, witzige Wortspielereien genützt.

In verschiedensten Formen begegnen wir im gereimten neuzeitlichen Gedicht auch einer Erscheinung, die früher nur

10

dem ungereimten Vers vorbehalten war: dem Enjambement. Der Text läuft dabei ohne grammatischen oder emphatischen Einschnitt über das Reimwort des einen Verses hinweg in die folgende Verszeile hinüber. Das setzte mit Rilke ein:

> Wir kannten nicht sein unerhörtes Haupt,
> darin die Augenäpfel reiften. Aber
> sein Torso glüht noch wie ein Kandelaber,
> in dem sein Schauen, nur zurückgeschraubt ...

Zahlreiche charakteristische Beispiele finden wir dann bei Bertolt Brecht:

> Auch erfüllte sich abends dann seltsam der Himmel
> mit fremdem Gevögel: Kräh' und Geier, die mit
> lautlosem Flug in dunklem Gewimmel
> im Äther verfolgten den keuchenden Ritt.

Darin, daß der Sinn über das erste Reimwort hinweggleitet, ohne ihm seine zäsurbildende Wirkung völlig zu nehmen, liegt der eigenartige Reiz dieser Reimgestaltung.

Wie weit die Neigung der neueren Dichtung zu ungewöhnlichen Reimen geht, möge ein letztes Beispiel, ebenfalls aus der Dichtung Bertolt Brechts, zeigen:

> Der Sommer lief über die Gräber her,
> und der Soldat schlief schon.
> Da kam eines Nachts eine militär-
> ische ärztliche Kommission.

Hier handelt es sich um einen „gebrochenen" Reim. Er kam früher nur in der humoristischen Dichtung vor und hat dort zwei geradezu „klassische" Beispiele:

> Hans Sachs war ein Schuh-
> macher und Poet dazu

und:

> Jeder weiß, was so ein Mai-
> käfer für ein Vogel sei.

Bei Brecht ist er – stilistisch bis zum Grotesken ausgeprägt, insofern, als er nicht einmal mehr die Silbentrennung respektiert – mit provokatorischer Kühnheit zu einer durchaus bedeutsamen, von Sarkasmus getränkten Aussage verwendet worden.

Nicht alle Erscheinungen und Möglichkeiten einer neuzeitlichen Reimkunst können hier gezeigt werden. Aber schon die angeführten Beispiele lassen die Gefahr erkennen, die im originellen Reim an sich liegen. Auch der Reim hat seine Hybris. Indem er dazu verlockt, nur um seiner selbst willen zu reimen, bringt er die Reimkunst in Gefahr, wieder zum Reimspiel zu werden. Allzu sehr kultiviert, fällt er auf seinen Ursprung zurück.

Wer sich beim Reimen selbst beobachtet, wird überhaupt bemerken, wie er weitgehend dem Einfluß des Reimes ausgesetzt ist, während er glaubt, sich seiner lediglich zu bedienen. Das kann förderlich, aber auch verhängnisvoll sein. Der Reim unterstützt die Entstehung eines Gedichts, indem er nicht selten Gedanken, die im Zuge der beabsichtigten Aussage liegen, zu Durchbruch und Ausdruck verhilft, ein Vorgang ähnlich dem, den Kleist in seinem Aufsatz über die allmähliche Verfertigung der Gedanken beim Reden dargestellt hat. Die Reime haben dann eine führende, lockende, provozierende Kraft. Aber eben darin liegt auch eine Gefahr. Nicht selten geschieht es, daß ein Reim, der sich bereitwillig anbietet, von dem natürlichen Verlauf der Aussage ablenkt oder zu routinemäßigem wie auch artistisch-selbstgefälligem Formen verleitet. Zuweilen vergewaltigt der Reim auch das Sprachgefüge, so daß eine unnatürliche, gequält-konstruktive Wortstellung entsteht. Manche Dichter, die diese gefahrvolle Verlockung durch den Reim an sich selber empfanden, haben deshalb mit einer gewissen Strenge ganz auf ihn verzichtet. Als ein bedeutendes Kunstmittel bleibt er durch solche individuelle Entscheidungen jedoch unangetastet.

*

Das vorliegende Buch ist ein Reimlexikon, das heißt: eine geordnete Sammlung zahlreicher Reime der deutschen Sprache, ein Lexikon, das nicht wissenschaftlichen Zwecken dienen soll, obwohl es als eine Art Reimarchiv gelten kann, sondern allen, die sich mit Reimen beschäftigen, Anreger und Helfer sein will. Es stellt eine Neufassung des einstmals

12

ebenfalls bei Reclam erschienenen Reimlexikons von Willy Steputat dar.

Die ersten Reimlexika überhaupt – sie hatten freilich einen anderen Zweck als das unsre – entstanden in Italien zur Zeit der Renaissance. Sie dienten der sprachkünstlerischen Erschließung einzelner bedeutender italienischer Dichter, enthielten also nur die Reime, die sich im Werk dieser Dichter finden. Den Beginn machte 1528 Pellegrino Moretos „Rimario di tutte le cadentie di Dante e Petrarca"; drei Jahre später folgte ein Reimlexikon nur für Petrarca, der „Rimario di tutte le concordanze di Petrarca", bald ein weiteres, das sich mit mehreren Dichtern, unter anderen Dante, Boccaccio, Ariost, Sannazar und Macchiavell befaßte. Dann erschienen auch Reimlexika für die gesamte italienische Sprache; kennzeichnend für Italien blieben trotzdem jene, die der Reimkunst einzelner Dichter gewidmet waren.

Die französischen Reimlexika hingegen werden dem Inhalt nach sogleich von dem allgemeinen Interesse der Franzosen für ihre Sprache bestimmt: Sie enthalten den Reimbestand der französischen Sprache im ganzen; zugleich wirkte an ihnen die Neigung der Franzosen zu systematischer Darstellung mit, die auch die großen Enzyklopädien hervorgebracht hat. Das erste, das „Dictionnaire des Rymes françoises" des Jean le Fèvre, erschien 1552. Ihm folgten bald ähnliche Arbeiten. Richelets „Nouveau dictionnaire des rimes" vom Jahre 1667 gilt, mehrfach verbessert und erweitert, noch heute neben dem späteren Dictionnaire Guinards als ein Standardwerk.

In den anderen europäischen Sprachen gibt es nur wenige ältere Reimlexika.

Auch die frühen deutschen Reimlexika verdanken ihre Entstehung einem allgemeinen sprachlichen Interesse. Das erste erschien, nachdem Opitz in seiner „Deutschen Poeterey" die Forderung nach Reinheit des Reimes erhoben hatte, während des Barock, als sich die Sprachgesellschaften eifrig mit deutscher Sprache und Dichtung beschäftigten. Es war der „Anzeiger der deutschen gleichlautenden und einstimmigen [das heißt: übereinstimmenden] männlichen und weiblichen Wörter" (1643) des Dichters und Sprachtheoretikers Philipp von Zesen, des Gründers der „Deutschgesinnten Genossenschaft". Diese Zusammenstellung, allzu lückenhaft und unsystematisch, blieb ohne große Bedeutung. Später wuchsen sich die deutschen Reimlexika zu geradezu monströsen Werken aus. Das umfangreichste wurde unter dem Titel „Allgemeines deutsches Reimlexikon" 1826 von einem Schriftsteller namens F. F. Hempel unter dem Pseudonym Peregrinus Syntax veröffentlicht und enthielt nach der eigenen selbstbewußten Angabe des Verfassers „dreihunderttausend und mehr" Reime; eine Zahl, die dadurch zustande gekommen war, daß der Verfasser in pedantischer Weise zahllose grammatische Formen und Ableitungen als selbständige Reimwörter aufgeführt hatte. Schon damals aber zeigte sich auch eine neue Tendenz der deutschen Reimlexika. 1823 nannte ein Verfasser seine Veröffentlichung „Verskunst und Reimlexikon" und gab ihr eine Wendung ins Praktische. Im weiteren neunzehnten Jahrhundert trat diese Neigung noch stärker hervor. Das Reimen wurde zu einer noblen gesellschaftlichen Beschäftigung, der reimende Dilettant eine kulturelle Zeiterscheinung; und selbst ein Teil der zünftigen Dichtung erschöpfte sich im gefälligen, aber unergiebigen Reimspiel. Dichten ist erlernbar, es kann ausgeübt werden wie eine andere Tätigkeit, und dazu braucht man ein Reimlexikon – das war die Einstellung der Verfasser von Reimlexika, die unter Titeln wie „Die Kunst, Dichter zu werden" und „Handbuch der Dichtkunst" erschienen.

Willy Steputat hat dann mit seinem Reimlexikon von 1891 die praktische Aufgabe eines Reimlexikons auf das natürliche Maß zurückgeführt. Im Vorwort schrieb er: „Mit dem Lexikon in der Hand kann niemand ein gutes Gedicht machen, bestimmt nicht, wenn er keins ohne ein Handbuch schaffen kann." Das ist auch für uns selbstverständlich. Wer nichts zu sagen hat, und wer nicht fähig ist, Gedanken oder Eindrücke sinngerecht auszusprechen, dem kann auch kein Reimautomat helfen. Aber beim „poetischen" Formen – auf welcher Ebene es auch geübt werden mag – wertvolle Hilfe leisten, das kann ein Reimlexikon. Es vermag die Fülle der Möglichkeiten vorzuführen, das Klangempfinden zu klären und zu schärfen, die Beweglichkeit in der Reimwahl zu fördern. Steputat schlug deshalb sogar vor, sein Lexikon regelrecht durchzuarbeiten, „wie man das Vokabularium einer fremden Sprache studiert". Aber auch im einzelnen Falle kann ein Reimlexikon manchen durchaus legitimen Beistand gewähren, und das hat der „alte Steputat" unwiderleglich bewiesen; oft ist es ausdrücklich bekundet worden. Mancher angehende Dichter, noch wenig bewandert im Gebrauch sprachlicher Mittel, hat sich aus ihm willkommene Anregungen geholt, vor allem, wenn er den Ehrgeiz hatte, anspruchsvollere Gedichtformen zu meistern; nicht wenige Übersetzer haben mit seiner Hilfe den Ausweg aus einer verzwickten Übersetzungssituation gefunden; und wenn auch mancher mehr oder weniger begabte Gelegenheitsdichter sich seiner bedient hat, so soll nicht von Mißbrauch gesprochen werden; im Gegenteil: das ist nur ein weiterer Beweis dafür, wie vielfältig nützlich – im besten Sinne – es war.

Mit alledem erwies sich die Arbeit Willy Steputats als beste Grundlage für eine neue Reimlexikon-Ausgabe. Freilich mußten dabei zum Teil wesentliche Änderungen vorgenommen werden, und zwar solche sachlicher wie methodischer Art.

Zunächst galt es, den Inhalt auf den heutigen Stand zu bringen. Seit den ersten beiden Auflagen (die zweite erschien 1900) hat sich unser Leben vielfach verändert, was nicht ohne Wirkung auf unsere Sprache geblieben ist. Alte, heute unverständliche oder unnötige Reimwörter mußten ausgemerzt, zahlreiche neue aus Wirtschaft, Technik, öffentlichem Leben hinzugefügt werden. Außerdem wurden manche volkstümlichen Ausdrücke aufgenommen, die der alte Steputat, entsprechend dem damaligen gesellschaftlich-sprachlichen Stilempfinden, vernachlässigt hatte.

Das Lexikon enthält nur reine Reime. Alle im Deutschen möglichen unreinen Reime ebenfalls aufzuführen, wäre an sich kaum realisierbar. Aber die Beschränkung auf den reinen Reim ist hier auch Grundsatz. Nach dieser Richtung hin gab es an der alten Ausgabe gleichfalls mancherlei zu verbessern. Daß nicht alle Formen der Reimwörter angeführt werden konnten, liegt auf der Hand; solche jedoch, die öfters als selbständige Reimwörter verwendet werden, sind aufgenommen worden.

Neu ist die Behandlung der Ableitungen. Zahlreichen Reimwörtern sind oft gebrauchte Ableitungen hinzugefügt worden, wie etwa dem Reimwort schließen die Ableitungen abschließen, anschließen, aufschließen, erschließen, beschließen. Ableitungen hingegen, die zu besonderen Begriffen geworden sind, bei denen man nicht mehr an die Bedeutung des Grundwortes denkt, sind als besondere Reimwörter aufgeführt worden, wie in dem angeführten Falle beschließen (sich etwas fest vornehmen) und sich entschließen (sich für etwas entscheiden). Besonders aufgeführt wurden dementsprechend auch die Mittelwörter, die Wesen und Funktion von Eigenschaftswörtern angenommen haben, wie verboten, vermummt u. ä. Mit dieser Aufgliederung unter gleichzeitiger Berücksichtigung des Wortsinnes hofft der Bearbeiter das Lexikon wesentlich bereichert zu haben.

Die lexikalische Anordnung der Reimwörter bereitet bei einem Reimlexikon immer besondere Schwierigkeiten. Sie ergeben sich ganz allgemein aus der Diskrepanz zwischen dem Klang des gesprochenen und dem Bild des geschriebenen Wortes. Auch der Reim ist ein Wortklangelement und kann doch nur mit den Mitteln der Schreibung wiedergegeben werden. Infolgedessen stehen bei der lexikalischen Aufnahme des Reimbestandes Phonetik und Orthographie dauernd im Widerstreit. Es muß also ein Ausgleich zwischen ihnen gefunden werden; maßgebend dafür kann nur die praktische Brauchbarkeit sein. Unsere Neuausgabe hat dabei mehr als die früheren Ausgaben das Phonetische berücksichtigt. Das kommt vor allem dadurch zum Ausdruck, daß nach Möglichkeit – einige Ausnahmen waren nötig – alle zusammengehörenden reimhaften Gleichklänge unter einem lexikalischen Titel vereinigt wurden, unabhängig von ihrer verschiedenen Schreibweise, so etwa achs, acks, ax unter dem einen Titel achs. Welche Schreibweise dabei den Titel hergeben sollte, war manchmal nicht leicht zu entscheiden. Nicht immer gab das Überwiegen einer bestimmten orthographischen Gruppe innerhalb einer Klanggemeinschaft den Ausschlag. So waren vielgebrauchte deutsche Wörter wichtiger für die Wahl eines lexikographischen Titels als die weniger wichtigen Fremdwörter, die nicht selten in einer Reimgruppe überwuchern. Wo es nötig erschien, wurde jedoch für die nicht zum Titel verwendeten Schreibweisen ein Leertitel mit Verweisungsvermerk geschaffen, so daß man den gesamten gesuchten Reimbestand von mehreren Stellen her sicher erreichen kann. Bei alledem wurde jede Schematisierung vermieden. Oft verlangten die eigentümlichen Verhältnisse in den Reimkategorien eine unterschiedliche Behandlung; was etwa bei den a-Reimen das Praktischste war, könnte bei den i-Reimen ungeschickt sein. Die Anordnung der Titel erfolgte nach dem Alphabet; ä, ö, ü wurden als ae, oe, ue eingegliedert.

Mit alledem ergab sich, wie der Bearbeiter glaubt, nicht nur ein wohlgeordnetes, sondern zugleich ein elastisches lexikographisches System, gemäß dem lebendigen Charakter der Sprache.

Karl Martin Schiller

ā

Afrika
ah!
aha!
Algebra
allda
Allotria
Ambrosia
Amerika
Anathema
beinah
Cholera
da
Eklat
Eroica
Etat
Gloria
Golgatha
hah!
halleluja!
Harmonika
Hekuba
hurra!
i-a(h)!
ja
Kamera
Malaria
Mama
nah
Papa
Paprika
Philippika
Podagra
Raa (Rah)
Schah
Tombola
trallala!
Trara
trara!
Troika

tschingd(erad)ada!
die Unika
USA
Utopia
Viktoria
ich bejah
es geschah
ich sah
(siehe **ahen**)

ă

Fauxpas
ha!
nana!
trallala!

āb

Grab
Lab
Stab
Gab'
Knab'
Rab'
Schwab'
(siehe **abe**)
ich gab
ich hab
(siehe **aben**)

ăb

(siehe **app**)

abbe

Flabbe
Krabbe
Labbe

19

abbel

Gebabbel
Gegrabbel
Gekabbel
Gekrabbel
Gesabbel
Geschwabbel

abbeln

babbeln
brabbeln
grabbeln
kabbeln
krabbeln
sabbeln
schwabbeln

abber

Geknabber
Gesabber
Geschlabber

abbern

knabbern
sabbern
schlabbern

abe

Gabe
Gehabe
Geschabe
Getrabe
Habe
Knabe
Labe
Nabe
Rabe
Schabe
Schwabe
Wabe
am Grabe

dem Stabe
(siehe **āb**)
ich habe
ich labe
(siehe **aben**)

abel

Abel
Babel
diskutabel
Fabel
Gabel
Gefabel
Kabel
Konstabel
miserabel
Nabel
Parabel
passabel
praktikabel
rentabel
respektabel
Schnabel
spendabel
variabel
veritabel
Vokabel

abeln

abnabeln
aufgabeln
fabeln
kabeln
die Notabeln
die Gabeln
die miserabeln
(siehe **abel**)

aben

begaben
erhaben
sie gaben
Gehaben

gehaben
Graben
graben
  begraben
  untergraben
  vergraben
Guthaben
haben
laben
schaben
traben
die Gaben
die Knaben
die Schwaben
die Waben
(siehe **abe**)

abend

Abend
hochtrabend
labend
trabend
untergrabend
wohlhabend
(siehe **aben**)

aber

aber
(das Wenn und) das Aber
Gelaber
Gewaber
Haber
Inhaber
Kandelaber
Liebhaber
Traber

abern

labern
wabern
den Kandelabern
den Trabern
(siehe **aber**)

abst

Papst
du gabst
du labst
(siehe **aben**)

ābt

begabt
gehabt
gelabt
ihr gabt
er trabt
(siehe **aben**)

abt

(siehe **appt**)

abung

Begabung
Grabung
Labung

āch

brach(liegen)
gemach
nach
  danach
  hernach
Schmach
ich brach
es gebrach (an . . .)
ich sprach
ich stach
(siehe **āchen**)

ăch

Ach (und Weh)
ach!
allgemach
Almanach

21

Bach
Dach
Fach
. . . fach
  hundertfach
  mannigfach
  tausendfach
  vielfach
flach
Gekrach
Gelach
Gemach
jach
Krach
Schach
schwach
Ungemach
wach
zach
die Rach'
die Sach'
(siehe **äche**)
ich lach
ich mach
(siehe **ächen**)

āche

Brache
Sprache

äche

Apache
Bache
Drache
Fellache
Gekrache
Gelache
Lache
Mache
Rache
Sache
  Nebensache
Wache
auf dem Dache

ins Flache
(siehe **äch**)
ich entfache
ich lache
(siehe **ächen**)

achel

Kachel
Stachel

acheln

kacheln
  verkacheln
stacheln
  anstacheln
den Kacheln
den Stacheln

āchen

sie bestachen
sie brachen
  erbrachen
  unterbrachen
  zerbrachen
sie sprachen
  besprachen
sie stachen
  erstachen
die Sprachen

ächen

anfachen
Drachen
krachen
lachen
  anlachen
  auslachen
  belachen
  verlachen
machen
  abmachen
  anmachen

22

ausmachen
vermachen
vormachen
zumachen
Nachen
Rachen
Schachen (Waldstück)
scharlachen
überdachen
verflachen
verhundertfachen
sich verkrachen
wachen
  aufwachen
  bewachen
  erwachen
den Almanachen
die mannigfachen
(siehe **äch**)
die Drachen
die Sachen
(siehe **äche**)

acher

Kracher
Lacher
Macher
. . . macher
  Heftelmacher
  Spaßmacher
  Versemacher
Pracher
Schacher
Widersacher
flacher
ein schwacher
(siehe **äch**)

achern

prachern
schachern
den Lachern
den Widersachern
(siehe **acher**)

āchs

da gebrach's
er sprach's
er zerbrach's

ăchs

viele Achs
des Dachs
(siehe **äch**)
mach's
verlach's
(siehe **ächen**)

achs (acks)

Dachs
Flachs
(weder gicks noch) gacks
Knacks
koax!
Lachs
lax
pax (Friede)
Sachs
Schlacks
Skribifax
stracks
  schnurstracks
Wachs
ich flachs
ich wachs
(siehe **achsen**)
des Fracks
des Geschmacks
(siehe **ack**)
pack's!
ich zerhack's
(siehe **acken**)

achse (ackse)

Achse
Faxe
Haxe

23

Klettermaxe
Kraxe
Prophylaxe
Sachse
dem Flachse
die Schlackse
(siehe **achs**)
ich flachse
ich wachse
(siehe **achsen**)

achsel (acksel)

Achsel
Gekraxel

achseln (ackseln)

achseln
kraxeln
die Achseln

achsen (acksen)

erwachsen
flachsen
gewachsen
knacksen
  verknacksen (den Fuß)
schlacksen
verwachsen
wachsen (größer werden)
wachsen (einwachsen)
den Schlacksen
den Skribifaxen
(siehe **achs**)
die Achsen
die Haxen
(siehe **achse**)

āchst

du brachst
du sprachst
du stachst
(siehe **āchen**)

ăchst

du lachst
du machst
du wachst
(siehe **ăchen**)

achst (ackst)

Axt
gewachst
verknackst
du flachst
du wachst
(siehe **achsen**
du hackst
du packst
(siehe **acken**)

ācht

ihr bracht
ihr spracht
ihr stacht
(siehe **āchen**)

ăcht

abgemacht
Acht (Ächtung)
Acht (Aufmerksamkeit)
acht (Zahl)
angefacht
aufgebracht
ausgelacht
ausgemacht
Bedacht
bedacht
  unbedacht
  wohlbedacht
belacht
Betracht
bewacht
Fracht
gebracht

24

gemacht
Gracht
Jacht
Macht
  Heeresmacht
  Himmelsmacht
  Liebesmacht
Nacht
  Hochzeitsnacht
  Liebesnacht
  Mitternacht
  Sommernacht
Niedertracht
Pacht
Pracht
sacht
Schacht
Schlacht
Tracht (Kleidung)
Tracht (Prügel)
überdacht
umgebracht
ungeschlacht
verbracht
verhundertfacht
verkracht
zugedacht
er lacht
es kracht
(siehe **ächen**)
ich acht
ich dacht'
(siehe **achten**)

achte

sachte
ich machte
ich wachte
(siehe **ächen**)
im Schachte
der verkrachte
(siehe **ächt**)
ich brachte
ich schmachte
(siehe **achten**)

achtel

Achtel
Dachtel
Schachtel
Spachtel
Wachtel

achteln

achteln
spachteln
verschachteln
die Schachteln
den Spachteln
(siehe **achtel**)

achten

achten
  beachten
  verachten
befrachten
betrachten
sie brachten
sie dachten
  bedachten
  gedachten
entmachten
nachten
pachten
schachten
schlachten
schmachten
  verschmachten
trachten
übernachten
sie verbrachten
verfrachten
sie lachten
sie vermachten
(siehe **ächen**)
die Schlachten
die unbedachten
(siehe **ächt**)

achter

Achter
Betrachter
Frachter
Schlachter
ein verkrachter
ein vielverlachter
(siehe **ächt**)

achtern

achtern
den Betrachtern
den Frachtern
(siehe **achter**)

achtet

ausgeschachtet
ausgeschlachtet
entmachtet
geachtet
gepachtet
umnachtet
verachtet
verfrachtet
ihr lachtet
ihr machtet
(siehe **ächen**)
es nachtet
trachtet!
(siehe **achten**)

achtsam

achtsam
bedachtsam
betrachtsam

achtung

Achtung
  Beachtung
  Verachtung
Befrachtung

Betrachtung
Schlachtung
Übernachtung
Umnachtung
Verpachtung

achung

Abdachung
Abmachung
Bedachung
Bewachung
Überdachung
Überwachung
Verflachung

ack

Anorak
Ammoniak
Arrak
Back
Claque
Cognac
Flak
Frack
Geschmack
gick-gack!
huckepack
Jacques
Kakerlak
Kasack
klack!
Kosak
Lack
Pack
Pausback
Sack
Schabernack
Schnack
Schnickschnack
strack
Tabak
ticktack!
Tomahawk
Verhack
LEBEADZESSACK

26

Wrack
Zickzack
ich hack
ich pack
(siehe **acken**)

acke

Attacke
Backe
Baracke
Bracke
Geknacke
Geplacke
Hacke
Jacke
Schabracke
Schlacke
Zacke
im Fracke
im Sacke
(siehe **ack**)
ich backe
ich knacke
(siehe **acken**)

ackel

Dackel
Fackel
Gefackel
Gewackel
Lackel
ich fackel
ich wackel
(siehe **ackeln**)

ackeln

fackeln
gackeln
schnackeln
wackeln
den Dackeln
die Fackeln
(siehe **ackel**)

acken

absacken
abwracken
backen
einsacken
entschlacken
hacken
zerhacken
knacken
aufknacken
zerknacken
lacken
Nacken
Packen
packen
auspacken
einpacken
verpacken
piesacken
placken
schnacken
verknacken
versacken
Zacken
zickzacken
zupacken
zwacken
die Kosaken
den Lacken
die stracken
(siehe **ack**)
die Backen
die Schabracken
(siehe **acke**)

acker

Acker
Geflacker
Gegacker
Geldschrankknacker
Hosenkacker
Knacker
Leuteplacker
Packer

Racker
wacker
ein stracker

ackern

abrackern
ackern
flackern
gackern
quackern
schlackern
den Rackern
die wackern
(siehe **acker**)

ackig

nackig
pausbackig
schlackig
stiernackig
zackig
back ich
pack ich
(siehe **acken**)

acks, ackse

(siehe **achs, achse**)

ackt

abgesackt
abgeschmackt
abgewrackt
abstrakt
Akt
Autodidakt
befrackt
exakt
Extrakt
Fakt
geflaggt
gezackt
intakt

Katarakt
kompakt
Kontakt
Kontrakt
nackt
Pakt
Takt
Trakt
verknackt
(hart) verpackt
versackt
vertrackt
er hackt
ihr knackt
(siehe **acken**)

ackte

Akte (Schriftstück)
ich packte
er versackte
(siehe **acken**)
die (Schauspiel-)Akte
im Takte
das vertrackte
(siehe **ackt**)

ackter

Charakter
Einakter
Viertakter
ein abgewrackter
ein hartverpackter
ein intakter
ein nackter
(siehe **ackt**)

ad

(siehe **at**)

addel

Paddel
Quaddel

ade

Arkade
Ballade
Balustrade
Barrikade
Bastonade
Blockade
Brigade
Dekade
Dryade
Eskapade
Esplanade
Estrade
fade
Fassade
Galoppade
Gerade
gerade
Gestade
Gnade
Jade
Jeremiade
Kanonade
Kaskade
Kavalkade
Kolonnade
Lade
Limonade
Made
Mänade
malade
Marmelade
Maskerade
Monade
Myriade
Najade
Nomade
Olympiade
Orangeade
Oreade
Palisade
Parade
Pomade
Promenade
Rade

Raffinade
Remoulade
Retirade
Robinsonade
Roulade
Schade
schade
Scharade
Scheherezade
Schokolade
Serenade
Suade
Tirade
Wade
im Bade
der fade
am Pfade
vom Rade
(siehe **at**)
ich bade
ich lade
(siehe **aden**)

adel

Adel
Madel
Nadel
Stadel
Tadel
ich radel
ich tadel

adelig

(siehe **adlig**)

adeln

adeln
radeln
tadeln
den Madeln
den Nadeln
den Stadeln
(siehe **adel**)

aden

baden
begnaden
Faden
Fladen
Gaden
Laden
laden (zu sich bitten)
  einladen
laden (befrachten)
  beladen
  entladen
  verladen
Schaden
schaden
Schwaden
(in manchen) Graden
die Kameraden
den Pfaden
(siehe **at**)
Euer Gnaden
in Gnaden
die maladen
die Paraden
(siehe **ade**)

ader

Ader
Bader
Geschwader
Hader
Hinterlader
Kader
Quader
Salbader
Vorderlader
ein fader
ein gerader
(siehe **ade**)

adern

hadern
salbadern
die fadern

die geradern
(siehe **ade**)
die Adern
den Badern
(siehe **ader**)

adet

begnadet
gebadet
umschwadet
unbeschadet
er badet
es schadet
(siehe **aden**)

adig

dickschwadig
hochgradig
madig
pomadig
bad ich
lad ich
(siehe **aden**)

adigen

begnadigen
begradigen
den hochgradigen
den pomadigen
(siehe **adig**)

adisch

arkadisch
nomadisch
sporadisch

adler

Adler
Nadler
Radler
Tadler

adlig

ad(e)lig
untad(e)lig

ä

bäh!
jäh
mäh!
Porträt
tschingderädädä!
zäh
die Kräh'
in der Näh'
(siehe **ähe**)
es geschäh'
ich sä
ich säh'
(siehe **ähen**)

äbe

ich gäbe
die Stäbe

äbel

Geschnäbel
Herumgesäbel
die Säbel
die Schnäbel

äbeln

säbeln
schnäbeln
den Säbeln
den Schnäbeln

äbig(ch)

behäbig
schäbig
gäb' ich
vergäb' ich

ǟch

Gespräch
ich bräch'
ich spräch'

äch

ich räch
ich schwäch
(dazu **ech**)

ǟche

ich bräche
ich spräche
die Gespräche

äche

Fläche
Schwäche
die Bäche
ich räche
ich schwäche
(dazu **eche**)

ächel

Gefächel
Gelächel
(dazu **echel**)

ächeln

fächeln
Lächeln
lächeln
(dazu **echeln**)

ǟchen

sie brächen
  zerbrächen
sie sprächen
  versprächen
den Gesprächen

31

ächen

rächen
schwächen
die Flächen
den Bächen
(siehe **äche**)
(dazu **echen**)

ächer

die Dächer
Fächer
die Fächer
die Gemächer
Rächer
Schächer
schwächer
(dazu **echer**)

ächern

fächern
den Gemächern
die schwächern
(dazu **echern**)

ächlich

gemächlich
hauptsächlich
oberflächlich
schwächlich
tatsächlich
(dazu **echlich**)

ächs (äcks)

Gewächs
des Gebäcks
des Gepäcks
(dazu **echs**)

ächse (äckse)

die Gewächse
(dazu **echse**)

ächsen (äcksen)

den Gewächsen
(dazu **echsen**)

ächst (äckst)

du bäckst
er wächst
(dazu **echst**)

ächt

Gemächt
gerächt
geschwächt
ich dächt'
ich brächt'
(siehe **ächten**)
(dazu **echt**)

ächte

Gemächte
die Mächte
die Nächte
die Schächte
Wächte
ich brächte
ich dächte
er schwächte
(siehe **ächten**)
(dazu **echte**)

ächten

ächten
sie brächten
sie dächten
sie rächten
sie schwächten
den Mächten
die Wächten
(siehe **ächte**)
(dazu **echten**)

ächter

Gelächter
Pächter
Schächter
Schlächter
Verächter
   Kostverächter
Wächter
ein gerächter
ein geschwächter
(dazu **echter**)

ächtig

andächtig
bedächtig
grobschlächtig
mächtig
   allmächtig
   eigenmächtig
   ohnmächtig
   übermächtig
nächtig
   mitternächtig
   übernächtig
niederträchtig
prächtig
schmächtig
trächtig
unterschlächtig
verdächtig
dächt' ich
rächt' ich
(siehe **ächten**)

ächtigen

bemächtigen
ermächtigen
nächtigen
verdächtigen
die Mächtigen
die prächtigen
(siehe **ächtig**)
(dazu **echtigen**)

ächtigt

ermächtigt
verdächtigt
er nächtigt
er verdächtigt
(siehe **ächtigen**)
(dazu **echtigt**)

ächtigung

Ermächtigung
Nächtigung
Verdächtigung
(dazu **echtigung**)

ächtlich

beträchtlich
nächtlich
verächtlich
(dazu **echtlich**)

ächtnis

Gedächtnis
Vermächtnis

ächtung

Ächtung
(dazu **echtung**)

ächung

Schwächung
(dazu **echung**)

ächzen

ächzen
krächzen
(dazu **echzen**)

äck

Gebäck
Gepäck
die Fräck'
die Säck'
(dazu **eck**)

äckchen

Bäckchen
Fräckchen
Päckchen
Säckchen
(dazu **eckchen**)

äcke

die Fräcke
die Säcke
(dazu **ecke**)

äckel

Säckel
(dazu **eckel**)

äcken

den Fräcken
den Säcken
(dazu **ecken**)

äcker

die Äcker
Bäcker
(dazu **ecker**)

äckern

den Äckern
den Bäckern
(dazu **eckern**)

äckig

hartnäckig
pausbäckig
(dazu **eckig**)

äcks

(siehe **ächs**)

äcksel

Häcksel
(dazu **echsel**)

äckt

er bäckt
(dazu **eckt**)

ädchen

Drähtchen
Fädchen
Lädchen
Mädchen
Rädchen
Städtchen

ädel

Mädel
Schädel

äden

die Fäden
die Läden
die Schäden
den Städten

äder

die Bäder
Geäder
Mähder
die Räder

34

ädern

rädern
den Bädern
den Rädern
(siehe **äder**)

ä-e

(siehe **ähe**)

äfchen

Schäfchen
Schläfchen

äfe

Schläfe
ich träfe

äfen

die Häfen
die Schläfen
sie träfen

äfer

Käfer
Schäfer
Schläfer

äfern

einschläfern
den Schäfern
(siehe **äfer**)

äff

Gekläff
(dazu **eff**)

äffe

Gekläffe
ich äffe
ich kläffe
(dazu **effe**)

äffen

äffen
  nachäffen
kläffen
(dazu **effen**)

äffer

Kläffer
(dazu **effer**)

äffisch

äffisch
pfäffisch

äfft

(siehe **äft**)

äfig

Käfig
träf' ich

äflich

gräflich
sträflich

äft

Geschäft
er äfft
er kläfft
(dazu **eft**)

äften

entkräften
den Geschäften
sie äfften
sie kläfften
(dazu **eften**)

äftig

geschäftig
kräftig
(dazu **eftig**)

äftigen

bekräftigen
beschäftigen
kräftigen
die geschäftigen
die kräftigen

äftigung

Bekräftigung
Beschäftigung
Kräftigung

äg

schräg
träg
ich läg'
ich säg'
(siehe **ägen**)

äge

Gepräge
Säge
die Schläge
Schräge
eine schräge
träge
ich läge
ich wäge
(siehe **ägen**)

ägen

abschrägen
Brägen
sie lägen
die Mägen
prägen
  ausprägen
  einprägen
sägen
  absägen
  zersägen
wägen
  abwägen
  erwägen
den Schlägen
die trägen
(siehe **äge**)

äger

Düsenjäger
Jäger
Kläger
Präger
Schläger
Schürzenjäger
Träger
  Ordensträger
ein schräger
ein träger

äglich

einträglich
erträglich
  unerträglich
kläglich
täglich
  alltäglich
  feiertäglich
  tagtäglich
unsäglich
unzuträglich
verträglich
  unverträglich

ähe

jähe
Koryphäe
Krähe
Nähe
Pygmäe
Trophäe
zähe
es geschähe
ich spähe
(siehe **ähen**)

ähen

bähen
blähen
sie geschähen
mähen
nähen
säen
sie säen
schmähen
spähen
  erspähen
verschmähen
die Krähen
die Trophäen
die jähen
(siehe **ähe**)

äher

Europäer
Galiläer
Häher
Mäher
Näher
näher
Pharisäer
Säer
Schwäher
Späher
ein jäher
ein zäher

ähern

nähern
den Mähern
den Nähern
den Spähern
(siehe **äher**)

ä-isch

europäisch
galiläisch
pharisäisch

äkeln

häkeln
mäkeln
räkeln

äker

Quäker
Schäker

älbchen

Kälbchen
Schwälbchen

älber

die Kälber
(dazu **elber**)

älchen

Kanälchen
Kapitälchen
Portälchen
Sälchen
Schälchen
Strählchen
Tälchen
(siehe **al**)

älde

in Bälde
(dazu **elde**)

älder

die Wälder
(dazu **elder**)

äle

die Admiräle
die Choräle
die Generäle
die Kanäle
die Kapitäle
die Kardinäle
die Korporäle
die Pfähle
die Säle
ich wähle
ich zähle
(siehe **älen**)

älen

erzählen
pfählen
quälen
schälen
schmälen
stählen
strählen
vermählen
wählen
zählen
  verzählen
den Chorälen
den Sälen
(siehe **äle**)

äler

Beschäler
Erzähler

Pennäler
Quäler
Wähler
Zähler
die Hospitäler
die Spitäler
die Täler

älern

schmälern
stählern
den Erzählern
den Pennälern
den Wählern
(siehe **äler**)

älge

die Bälge
(dazu **elge**)

älgen

den Bälgen
(dazu **elgen**)

älich(g)

allmählich
schmählich
überzählig
unzählig
vollzählig

älk

Gebälk
(dazu **elk**)

älke

Gebälke
die Schälke
(dazu **elke**)

älken

den Gebälken
den Schälken
(dazu elken)

ällchen

Bällchen
Krällchen
(dazu ellchen)

älle

Gefälle
die Bälle
die Fälle
die Ställe
die Wälle
ich fälle
ich vergälle
(dazu elle)

ällen

fällen
vergällen
den Bällen
den Fällen
(siehe älle)
(dazu ellen)

ällig

fällig
gefällig
(dazu ellig)

ält

erwählt
  auserwählt
gequält
gestählt
gewählt

gezählt
  ungezählt
er schält
er strählt
(siehe älen)

ălt

er behält
er erhält
er fällt
er gefällt
er hält
er unterhält
er verfällt
vergällt
er vergällt
(dazu ĕlt)

älte

der Erwählte
das Erzählte
ungezählte
(siehe ält)
er wählte
er zählte
(siehe älen)

ălte

Kälte
es gälte
ich fällte
ich vergällte
(dazu ĕlte)

älten

die Vermählten
die ungezählten
(siehe ält)
sie quälten
sie wählten
(siehe älen)

39

älten

erkälten
sie fällten
sie gälten
sie vergällten
(dazu **elten**)

älter

ein Erwählter
ein vermählter
(siehe **ält**)

älter

älter
Behälter
kälter
ein vergällter
(dazu **elter**)

ältern

die ältern
den Behältern
den kältern
(dazu **eltern**)

ältig(ch)

hinterhältig
sorgfältig
vielfältig
zwiespältig
erkält ich
gält' ich
(siehe **älten**)

ältigen

bewältigen
überwältigen
die hinterhältigen
(siehe **ältig**)

ältlich

ältlich
erhältlich
kältlich
vorbehältlich
(dazu **eltlich**)

älts

als gält's
er hält's
    behält's
    erhält's
da fällt's
    entfällt's
    verfällt's
er vergällt's
(dazu **elz**)

älung

Erwählung
Erzählung
Vermählung
Zählung

älze

ich mälze
ich wälze
(dazu **elze**)

älzen

mälzen
wälzen
(dazu **elzen**)

äm

Krem (Creme)
ich käm'
ich nähm'
(siehe **ämen**)

ämchen

Dämchen
Rähmchen

ämen

einkremen
grämen
sie kämen
lähmen
sie nähmen
schämen
  beschämen
die Tantiemen
verbrämen
zähmen
  bezähmen

ämig

geschämig
griesgrämig
käm' ich
nähm' ich
schäm ich
vernähm' ich
(siehe **ämen**)

ämlich

dämlich
grämlich
nämlich

ämm

die Dämm'
die Stämm'
(siehe **ämme**)
ich dämm
ich kämm
(siehe **ämmen**)
(dazu **emm**)

ämmchen

Flämmchen
Kämmchen
Lämmchen
Schwämmchen
Stämmchen
(dazu **emmchen**)

ämme

die Dämme
die Kämme
die Schwämme
die Stämme
ich dämme
ich kämme
(siehe **ämmen**)
(dazu **emme**)

ämmen

dämmen
  eindämmen
kämmen
schlämmen
den Schwämmen
den Stämmen
(siehe **ämme**)
(dazu **emmen**)

ämmer

Dämmer
Gehämmer
die Hämmer
die Lämmer
(dazu **emmer**)

ämmern

dämmern
  verdämmern
hämmern
  zerhämmern
den Hämmern

41

den Lämmern
(dazu **emmern**)

ämmert

belämmert
gehämmert
es dämmert
er hämmert
(dazu **emmert**)

ämmt

eingedämmt
gekämmt
geschlämmt
er dämmt
er kämmt
(siehe **ämmen**)
(dazu **emmt**)

ämpfe

die Dämpfe
die Kämpfe
die Krämpfe
ich dämpfe
ich kämpfe

ämpfen

dämpfen
kämpfen
den Dämpfen
den Kämpfen
den Krämpfen

ämpfer

Dämpfer
Kämpfer

ämser

die Wämser
(dazu **emser**)

42

ämt

eingekremt
gelähmt
gezähmt
unverschämt
verbrämt
vergrämt
verschämt
er lähmt
ihr nähmt
(siehe **ämen**)

ämter

die Ämter
ein eingedämmter
ein gekämmter
(dazu **emter**)

ämung

Lähmung
Verbrämung
Zähmung

än

Kapitän
mondän
sans gêne
Souverän
souverän
mähn
sän
sie sähn
(siehe **ähen**)
ich gähn
ich wähn
(siehe **änen**)

änchen

Bähnchen
Fähnchen
Hähnchen

Kähnchen
Spänchen
Tränchen
Zähnchen

ändchen

Bändchen
Händchen
Ländchen
Rändchen
Ständchen
(dazu **endchen**)

ände

die Bände
die Brände
die Gegenstände
Gelände
Lände
die Stände
die Verbände
die Wände
die Widerstände
ich bände
ich fände
(siehe **änden**)
(dazu **ende**)

ändel

Bändel
Getändel
die Händel
ich bändel (an)
ich tändel
(dazu **endel**)

ändeln

anbändeln
tändeln
den Händeln

änden

sie bänden
sie empfänden
sie fänden
schänden
sie schwänden
verschwänden
sie ständen
den Bänden
den Wänden
(siehe **ände**)
(dazu **ende**)

änder

die Bänder
Geländer
die Gewänder
die Länder
Pfänder
die Ränder
Schänder
Ständer
(dazu **ender**)

ändern

ändern
verändern
umrändern
den Bändern
den Ländern
(siehe **änder**)
(dazu **endern**)

ändig(ch)

beständig
eigenhändig
eigenständig
geständig
ständig
unbändig
verständig
bänd' ich

43

fänd' ich
(siehe **änden**)
(dazu **endig**)

ändigen

aushändigen
bändigen
einhändigen
verständigen
die unverständigen
die zuständigen
(siehe **ändig**)
(dazu **endigen**)

ändisch

abendländisch
aufständisch
ausländisch
morgenländisch
ständisch
(dazu **endisch**)

ändler

Händler
Ländler
Ruheständler
Tändler
Unterhändler
(dazu **endler**)

ändlich

ländlich
schändlich
verständlich
  unverständlich
(dazu **endlich**)

ändnis

Geständnis
Verständnis
  Einverständnis

44

Mißverständnis
(dazu **enntnis**)

änds

(siehe **änz**)

ändung

Pfändung
Schändung
(dazu **endung**)

äne

Domäne
Fontäne
Gegähne
Hyäne
die Kähne
Mähne
Migräne
Muräne
Phaläne
die Pläne
Quarantäne
die Späne
Träne
die Kapitäne
die mondäne
(siehe **än**)
ich erwähne
ich gähne
(siehe **änen**)

änen

erwähnen
gähnen
tränen
wähnen
den Kapitänen
die souveränen
(siehe **än**)
den Kähnen
die Mähnen
(siehe **äne**)

äng

Gedräng
Gepräng
ich häng
ich säng'
(siehe **ängen**)
(dazu **eng**)

änge

die Gänge
Gehänge
Gepränge
die Gesänge
Gestänge
Länge
die Stränge
ich bedränge
ich zwänge
(siehe **ängen**)
(dazu **enge**)

ängel

Gedrängel
die Mängel
ich drängel
ich gängel
(dazu **engel**)

ängeln

drängeln
gängeln
den Mängeln
(dazu **engeln**)

ängen

ansträngen
drängen
bedrängen
verdrängen
hängen

aufhängen
behängen
verhängen
mir gelängen
sie klängen
krängen
sie sängen
zwängen
sie zwängen (würden zwingen)
den Gängen
den Gesängen
(siehe **änge**)
(dazu **engen**)

änger

bänger
Bedränger
Doppelgänger
Einzelgänger
Empfänger
Fänger
   Fliegenfänger
   Rattenfänger
länger
Rudergänger
Rutengänger
Sänger
(dazu **enger**)

ängern

schwängern
verlängern
den Bedrängern
den Rattenfängern
(siehe **änger**)
(dazu **engern**)

ängig(ch)

abhängig
gängig
bedräng ich
häng ich

45

säng' ich
(siehe **ängen**)

änglich

bänglich
empfänglich
   unempfänglich
länglich
lebenslänglich
unumgänglich
unzugänglich
unzulänglich
verfänglich
   unverfänglich
vergänglich
   unvergänglich
(dazu **englich**)

ängnis

Bedrängnis
Begängnis
Empfängnis
Gefängnis
Verhängnis

ängst

längst
du drängst
du verhängst
(siehe **ängen**)
(dazu **engst**)

ängt

angehängt (unfrei)
bedrängt
eingezwängt
verdrängt
verhängt
er bedrängt
ihr sängt
(siehe **ängen**)
(dazu **engt**)

ängung

Bedrängung
Krängung
Verdrängung
Verhängung
(dazu **engung**)

änig

mähnig
untertänig
erwähn ich
gähn ich
wähn ich
(siehe **änen**)

änk

Getränk
Gezänk
ich kränk
ich sänk'
(siehe **änken**)
(dazu **enk**)

änkchen

Bänkchen
Schränkchen
Tränkchen

änke

die Bänke
die Getränke
Gezänke
Kränke
Ränke
die Schränke
die Schwänke
ich kränke
ich tränke
(siehe **änken**)
(dazu **enke**)

46

änkel

Geplänkel
ich kränkel
ich plänkel
(siehe **änkeln**)
(dazu **enkel**)

änkeln

kränkeln
plänkeln
den Geplänkeln
(dazu **enkeln**)

änken

beschränken
kränken
sie sänken
tränken
sie tränken (würden trinken)
verschränken
den Bänken
den Schränken
(siehe **änke**)
(dazu **enken**)

änker

kränker
Stänker
Zänker
(dazu **enker**)

änkern

stänkern
(dazu **enkern**)

änklich

kränklich
(dazu **enklich**)

änkt

beschränkt
gekränkt
getränkt
er kränkt
ihr tränkt
(siehe **änken**)
(dazu **enkt**)

änktheit

Beschränktheit
Gekränktheit

änkung

Beschränkung
Kränkung
(dazu **enkung**)

änlein

Bähnlein
Fähnlein
Tränlein

ännchen

Kännchen
Männchen
Tännchen
Wännchen

ännen

sie gewännen
sie sännen
sie zerrännen
(dazu **ennen**)

änner

Jänner
die Männer

ännlein

Männlein
Pfännlein
Tännlein
Wännlein

ännlich

männlich
(dazu **ennlich**)

ännst

du gewännst
du sännst
(dazu **enst**)

ännt

ihr gewännt
ihr sännt
(dazu **ent**)

änz

ich empfänd's
da entschwänd's
(siehe **änden**)
ich bekränz
ich schwänz
(siehe **änzen**)
(dazu **enz**)

änzchen

Kränzchen
Pflänzchen
Schwänzchen
Tänzchen

änze

die Kränze
die Schwänze
die Tänze
ich bekränze

ich schwänze
(siehe **änzen**)
(dazu **enze**)

änzeln

schwänzeln
tänzeln
(dazu **enzeln**)

änzen

bekränzen
ergänzen
glänzen
schwänzen
den Kränzen
den Schwänzen
(siehe **änze**)
(dazu **enzen**)

änzer

Schwänzer
Tänzer
(dazu **enzer**)

änzung

Bekränzung
Ergänzung

äpfchen

Näpfchen
Zäpfchen

äpfe

Näpfe
(dazu **epfe**)

äpfel

Äpfel
Kräpfel

äppchen

Häppchen
Käppchen
Läppchen
Mäppchen
(dazu **eppchen**)

äppeln

aufpäppeln
veräppeln

äppern

zusammenläppern
(dazu **eppern**)

äppisch

läppisch
täppisch

är

Air
Aktionär
Bär
fair
familiär
Gewähr
imaginär
leger
Legionär
Mär
Militär
Millionär
ordinär
pekuniär
Pensionär
plein-air
populär
Reaktionär
reaktionär
regulär
rudimentär

BARRIER'
CHAMPAGNER

Sekretär
sekundär
ungefähr
visionär
Volontär
vulgär
ich erklär
ich wär'
(siehe **ären**)

ärb

ich färb
(dazu **erb**)

ärbe

ich färbe
(dazu **erbe**)

ärben

färben
verfärben
(dazu **erben**)

ärber

Färber
(dazu **erber**)

ärbst

du färbst
(dazu **erbst**)

ärbt

gefärbt
verfärbt
er färbt
(dazu **erbt**)

ärbung

Färbung
(dazu **erbung**)

ärche

Lärche
(dazu **erche**)

ärchen

Bärchen
Härchen
Jährchen
Märchen
Pärchen
die Lärchen
(dazu **erchen**)

ärde

Gebärde
Gefährde (Gefahr)
ich gebärde (mich)
ich gefährde

ärden

sich gebärden
gefährden
die Gebärden
die Gefährden

äre

Affäre
Ähre
Barriere
Fähre
Gondoliere
Hetäre
Karriere
Kondottiere
Mähre
Märe
Megäre
Misere
Premiere
Schäre
Schimäre

Sphäre
  Atmosphäre
  Hemisphäre
  Stratosphäre
Voliere
Zähre
das Imaginäre
das Ungefähre
(siehe **är**)
ich erkläre
ich wäre
(siehe **ären**)

ären

bewähren
erklären
gären
gebären
gewähren
klären
nähren
  ernähren
Schwären
schwären
verjähren
währen
den Millionären
die pekuniären
(siehe **är**)
die Affären
die Hetären
(siehe **äre**)

ärend

fortwährend
gärend
gebärend
klärend
nährend
schwärend
verklärend
während (dauernd)
während (der Zeit)
(siehe **ären**)

ärer

Erklärer
Ernährer
ein fairer
ein vulgärer
(siehe **är**)

ärf

ich schärf
(siehe **ärfen**)
(dazu **erf**)

ärfe

Schärfe
ich schärfe
(siehe **ärfen**)
(dazu **erfe**)

ärfen

schärfen
  entschärfen
  verschärfen
(dazu **erfen**)

ärft

geschärft
entschärft
verschärft
er schärft
(siehe **ärfen**)
(dazu **erft**)

ärge

die Särge
(dazu **erge**)

ärgen

den Särgen
(dazu **ergen**)

ärger

Ärger
ärger
(dazu **erger**)

ärig

hundertjährig
untergärig
willfährig

ärk

ich stärk
(dazu **erk**)

ärke

Stärke
ich stärke
(dazu **erke**)

ärken

stärken
  bestärken
  verstärken
(dazu **erken**)

ärker

stärker
Verstärker
(dazu **erker**)

ärkung

Stärkung
Verstärkung
(dazu **erkung**)

ärlich

erklärlich
  unerklärlich

51

gefährlich
  ungefährlich
jährlich
  alljährlich
spärlich

ärm

Gedärm
Gelärm
Lärm
ich lärm
ich schwärm
ich wärm
(siehe **ärmen**)
(dazu **erm**)

ärme

Gedärme
Gelärme
die Schwärme
Wärme
ich härme (mich)
ich schwärme
(siehe **ärmen**)
(dazu **ermen**)

ärmen

sich härmen
lärmen
schwärmen
  umschwärmen
wärmen
  erwärmen
den Gedärmen
den Schwärmen
(dazu **ermen**)

ärmer

ärmer
Pulswärmer
Schwärmer
  Ligusterschwärmer

Nachtschwärmer
wärmer

ärmlich

ärmlich
erbärmlich

ärmt

aufgewärmt
ausgeschwärmt
erwärmt
umlärmt
umschwärmt
verhärmt
er lärmt
er schwärmt
er wärmt
(siehe **ärmen**)

ärr

Geplärr
(dazu **err**)

ärrchen

Närrchen
(dazu **errchen**)

ärre

Geplärre
ich plärre
(dazu **erre**)

ärren

plärren
(dazu **erren**)

ärrin

Närrin
(dazu **errin**)

ärrisch

närrisch
(dazu **errisch**)

ärrner

Kärrner
(dazu **erner**)

ärrt

geplärrt
er plärrt
(dazu **ĕrt**)

ärrte, ärrten

(siehe **ärte, ärten**)

ärt

abgeklärt
aufgeklärt
bewährt
er erfährt
er fährt
Gefährt
ungeklärt
er verfährt
verjährt
verklärt
unterernährt
wohlgenährt
es gärt
ihr wärt
(siehe **ären**)

ärte

die Bärte
Gefährte
Fährte
ich erklärte
es währte
(siehe **ären**)

ărte

Härte
ich plärrte
(dazu **ĕrte**)

ärten

sie erklärten
sie nährten
(siehe **ären**)
die Aufgeklärten
den Gefährten (Wagen)
(siehe **ärt**)
den Bärten
die Fährten
die Gefährten (Freunde)
(siehe **ärte**)

ărten

die Gärten
die Härten
härten
  erhärten
  verhärten
sie plärrten
(dazu **erten**)

ärter

härter
Wärter
(dazu **ĕrter**)

ärtheit

Abgeklärtheit
Aufgeklärtheit
Verklärtheit
Wohlgenährtheit

ārtig(ch)

bärtig
erklärt' ich

53

gewährt' ich
(siehe **ären**)

ärtig(ch)

gegenwärtig
gewärtig
hoffärtig
widerwärtig
härt ich
plärrt' ich
(siehe **ärten**)
(dazu **ërtig**)

ärts
(siehe **ärz**)

ärung

Bewährung
Erklärung
Ernährung
Gärung
Gewährung
Klärung
Verjährung
Verklärung
Währung

ärz

himmelwärts
März
ich schwärz
(dazu **ërz**)

ärze

Schwärze
ich schwärze
(dazu **erze**)

ärzen

schwärzen
  anschwärzen

im Märzen
(dazu **erzen**)

ärzlich

märzlich
schwärzlich
(dazu **erzlich**)

ärzt

geschwärzt
  angeschwärzt
(dazu **erzt**)

äs (äß)

Gefäß
gemäß
  sachgemäß
  termingemäß
Gesäß
Käs'
ich läs'
(siehe **äsen**)
ich äß'
ich säß'
ich vergäß'
(siehe **äßen**)

äsch

Genäsch
Gewäsch
(dazu **esch**)

äschchen

Fläschchen
Täschchen

äsche

Äsche
Wäsche
(dazu **esche**)

54

äs-chen

Bäschen
Bläschen
Fäschen (Faser)
Gläschen
Häschen
Näschen
Späßchen

äscher

Äscher
Häscher
Näscher
Wäscher
(dazu **escher**)

äschern

einäschern
den Häschern
den Wäschern
(siehe **äscher**)
(dazu **eschern**)

äse

Gebläse
Käse
Majonäse
Polonäse
ich äse
ich läse
(siehe **äsen**)

äße

die Gefäße
die Gesäße
die Späße
das Gemäße
ich säße
ich vergäße
(siehe **äßen**)

äsen

äsen
fräsen
käsen
sie läsen
den Gebläsen
(siehe **äse**)

äßen

sie äßen
sie besäßen
sie säßen
sie vergäßen
den Gefäßen
den Späßen
(siehe **äße**)

äser

die Äser
Bläser
Fräser
die Gläser
die Gräser
Käser

äsern

gläsern
den Bläsern
den Gräsern
(siehe **äser**)

äsig

gräsig
käsig

äßig

gefräßig
mäßig
  übermäßig
  unmäßig

äßchen

Fäßchen
Gäßchen
Täßchen
(dazu **eßchen**)

ässe

die Bässe
Blässe
Nässe
die Pässe
ich nässe
(dazu **esse**)

ässen

nässen
den Bässen
den Pässen
(siehe **ässe**)
(dazu **essen**)

ässer

blässer
nässer
die Fässer
Gewässer
(dazu **esser**)

ässern

wässern
den Fässern
den Gewässern
(dazu **essern**)

ässig

gehässig
lässig
unablässig
undurchlässig

zulässig
  unzulässig
zuverlässig
  unzuverlässig
(dazu **essig**)

äßlich

bläßlich
gräßlich
häßlich
läßlich
unerläßlich
unpäßlich
verläßlich
(dazu **eßlich**)

äst (äßt)

er äst
du blähst
er bläst
du krähst
du mähst
du sähst
du säst
ihr äßt
ihr vergäßt
(siehe **äßen**)

äst (äßt)

durchnäßt
Geäst
er läßt
  erläßt
  verläßt
er näßt
(dazu **est**)

ästchen

Ästchen
Kästchen
Quästchen
(dazu **estchen**)

äste (äßte)

die Äste
die Gäste
Geäste
die Moräste
die Paläste
ich mäste
ich näßte
(siehe **ästen**)
(dazu **este**)

ästeln

einkästeln
verästeln
(dazu **esteln**)

ästen (äßten)

die Kästen
mästen
die durchnäßten
sie näßten
den Ästen
den Palästen
(siehe **äste**)
(dazu **esten**)

äster (äßter)

Geläster
Schweinemäster
ein durchnäßter
(dazu **ester**)

ästern

lästern
(dazu **estern**)

ästigen

belästigen
(dazu **estigen**)

ästigt

belästigt
(dazu **estigt**)

ästigung

Belästigung
(dazu **estigung**)

ät

aufgebläht
er berät
er brät
Diät
gemäht
genäht
Gerät
es gerät
(wie) gesät
spät
. . . tät
   Admiralität
   Aktualität
   Bestialität
   Duplizität
   Elastizität
   Elektrizität
   Extremität
   Fakultät
   Formalität
   Genialität
   Humanität
   Identität
   Individualität
   Intensität
   Intimität
   Kalamität
   Kapazität
   Kollegialität
   Kuriosität
   Majestät
   Mentalität
   Moralität
   Musikalität

Originalität
Parität
Pietät
Popularität
Porträt
Pubertät
Qualität
Quantität
Realität
Rivalität
Schwulität
Souveränität
Trivialität
Universität
Virtuosität
Vitalität
tête-à-tête
verschmäht
zugenäht
er kräht
er sät
(siehe **ähen**)
ich tät'
ich trät'
(siehe **äten**)

ätchen

Drähtchen
Städtchen
Traktätchen

äte

die Drähte
die Geräte
Gräte
die Nähte
die Räte
die Städte
ich mähte
ich spähte
(siehe **ähen**)
ich jäte
ich täte
(siehe **äten**)

äten

sie bäten
die Diäten (Gelder)
jäten
sie täten
sie träten
verspäten
sie mähten
sie nähten
(siehe **ähen**)
die Raritäten
die verschmähten
(siehe **ät**)
den Räten
den Städten
(siehe **äte**)

äter

Äther
Sanitäter
später
Städter
Täter
 Attentäter
 Missetäter
 Übeltäter
die Väter
Verräter
ein aufgeblähter
ein verschmähter
(siehe **ät**)

ätig(ch)

grätig
hochkarätig
tätig
unflätig
vorrätig
wohltätig
jät ich
tät' ich
trät' ich
(siehe **äten**)

58

ätigen

bestätigen
betätigen
die unflätigen
die wohltätigen
(siehe **ätig**)

ätlich

rätlich
tätlich

ätsch

Match
(dazu **etsch**)

ätt

ich glätt
ich hätt'
ich plätt
(dazu **ett**)

ättchen

Blättchen
Plättchen
Rättchen
(dazu **ettchen**)

ätte

Glätte
Plätte
Stätte
ich glätte
ich hätte
ich plätte
(dazu **ette**)

ättel

die Sättel
(dazu **ettel**)

ätteln

den Sätteln
(dazu **etteln**)

ätten

glätten
sie hätten
plätten
die Plätten
die Stätten
(dazu **etten**)

ätter

die Blätter
Plätter
(dazu **etter**)

ättern

blättern
  entblättern
verstädtern
den Blättern
den Plättern
(dazu **ettern**)

ättung

Glättung
(dazu **ettung**)

ätz

Geschwätz
ich schätz
ich schwätz
(siehe **ätzen**)
(dazu **etz**)

ätzchen

Frätzchen
Kätzchen

Lätzchen
Mätzchen
   Hosenmätzchen
Plätzchen
Sätzchen
Schätzchen
Schmätzchen
Schwätzchen
Spätzchen
Tätzchen

ätze

Krätze
die Lätze
die Plätze
die Sätze
die Schätze
die Schmätze
die Geschwätze
ich schätze
ich schwätze
(siehe **ätzen**)
(dazu **etze**)

ätzen

ätzen
sich krätzen
schätzen
   abschätzen
   einschätzen
   überschätzen
   unterschätzen
   verschätzen
schwätzen
den Plätzen
den Schätzen
(siehe **ätze**)
(dazu **etzen**)

ätzer

Krätzer
Schwätzer
(dazu **etzer**)

ätzig(ch)

geschwätzig
krätzig
schätz ich
schwätz ich
(siehe **ätzen**)
(dazu **etzig**)

ätzlich

gegensätzlich
grundsätzlich
(dazu **etzlich**)

ätzt

geätzt
geschätzt
überschätzt
unterschätzt
verätzt
verkrätzt
er schätzt
er schwätzt
(siehe **ätzen**)
(dazu **etzt**)

ätzung

Ätzung
Schätzung
(dazu **etzung**)

ä-um

Jubiläum
Athenäum

äu

Gebäu
Gebräu
die Säu'
ich bedräu
ich vertäu

60

(siehe **äuen**)
(dazu **eu**)

äubchen

Häubchen
Schräubchen
Stäubchen
Täubchen
Träubchen

äuben

betäuben
stäuben
  bestäuben
  zerstäuben
sträuben

äuber

Räuber
Täuber
Zerstäuber

äubern

ausräubern
säubern
den Räubern
den Zerstäubern

äubt

bestäubt
betäubt
gestäupt
er betäubt
er zerstäubt
(siehe **äuben**)

äubten

zu Häupten
sie stäubten
sie stäupten

äuch

Gesträuch
die Gebräuch'
(siehe **äuche**)
(dazu **euch**)

äuche

die Bäuche
die Bräuche
die Gebräuche
die Gesträuche
die Schläuche
(dazu **euche**)

äuchen

den Bräuchen
den Gesträuchen
(siehe **äuche**)
(dazu **euchen**)

äuchern

räuchern
den Sträuchern

äude

Gebäude
Räude
(dazu **eude**)

äuden

den Gebäuden
(dazu **euden**)

äue

Bläue
Schläue
die Säue
ich dräue
ich käue (wieder)

61

ich vertäue
(siehe **äuen**)
(dazu **eue**)

äuel

Knäuel
ich knäuel
(dazu **euel**)

äueln

knäueln
den Knäueln
(dazu **eueln**)

äuen

bläuen
dräuen
bedräuen
vertäuen
wiederkäuen
den Säuen
(dazu **euen**)

äuer

Gemäuer
Häuer
Wiederkäuer
(dazu **euer**)

äuerlich

bäuerlich
säuerlich
(dazu **euerlich**)

äuern

säuern
den Gemäuern
den Häuern
(siehe **äuer**)
(dazu **euern**)

äuert

gesäuert
 ungesäuert
(dazu **euert**)

äuf

Geläuf
ich ersäuf
ich häuf
(siehe **äufen**)
(dazu **euf**)

äufe

die Käufe
die Läufe
 Flintenläufe
 Hindernisläufe
 Hinterläufe (des Hasen)
 Lebensläufe
 Vorderläufe
 Wasserläufe
die Verkäufe
die Verläufe
ich häufe
ich träufe
(siehe **äufen**)
(dazu **eufe**)

äufel

Geträufel
Häufel
ich häufel
ich träufel
(dazu **eufel**)

äufeln

häufeln
schäufeln
träufeln
den Häufeln
(dazu **eufeln**)

äufen

ersäufen
häufen
  anhäufen
  überhäufen
träufen
den Käufen
den Läufen
(siehe **äufe**)
(dazu **eufen**)

äufer

Käufer
  Verkäufer
Läufer (Teppich)
Läufer (Laufender)
  Überläufer
Säufer
Täufer

äufig

geläufig
häufig
läufig
ersäuf ich
häuf ich
(siehe **äufen**)

äuft

gehäuft
ersäuft
er säuft
er häuft
(siehe **äufen**)
(dazu **euft**)

äug

ich äug
ich säug
(siehe **äugen**)
(dazu **eug**)

äuge

ich beäuge
ich säuge
(siehe **äugen**)
(dazu **eugen**)

äugen

äugen
  beäugen
säugen
(dazu **eugen**)

äugt

beäugt
gesäugt
er äugt
(siehe **äugen**)
(dazu **eugt**)

äulchen

Knäulchen
Mäulchen
Säulchen

äule

Fäule
die Gäule
Säule
(dazu **eule**)

äulen

den Gäulen
die Säulen
(dazu **eulen**)

äulich(g)

bläulich
gräulich
großmäulig

jungfräulich
(dazu **eulich**)

äumchen

Bäumchen
Däumchen
Pfläumchen
Räumchen
Säumchen

äume

die Bäume
die Räume
die Säume
die Träume
die Zäume

äumen

aufbäumen
räumen
  abräumen
  aufräumen
  einräumen
säumen (nähen)
  umsäumen
säumen (warten)
  versäumen
schäumen
  aufschäumen
  verschäumen
träumen
zäumen
  aufzäumen
den Bäumen
den Träumen
(siehe **äume**)

äumer

Möbelräumer
Säumer
Träumer

äumig

geräumig
säumig

äumt

aufgebäumt
aufgeräumt
aufgezäumt
umsäumt
umschäumt
verträumt
er räumt
er säumt
(siehe **äumen**)

äun

dräun
wiederkäun
(siehe **äuen**)
ich bräun
ich umzäun
(dazu **eun**)

äune

Bräune
die Zäune
ich bräune
ich umzäune
(dazu **eune**)

äunen

bräunen
umzäunen
den Zäunen
(dazu **eunen**)

äunt

gebräunt
umzäunt
er bräunt

er umzäunt
(siehe **äunen**)
(dazu **eunt**)

äupt

(siehe **äubt**)

äure

Säure
ich säure
(dazu **eure**)

äus

Gehäus
des Gebäus
des Gebräus
ich vertäu's
die Läus'
die Mäus'
(dazu **eus**)

äusch

Geräusch
ich enttäusch
ich täusch
(dazu **eusch**)

äusche

die Geräusche
ich enttäusche
ich täusche
(dazu **eusche**)

äuschen

die Läuschen (Geschichten)
enttäuschen
täuschen
den Geräuschen
(dazu **euschen**)

äus-chen

Häuschen
Läuschen
Mäuschen
Päuschen
Sträußchen

äuse

Gehäuse
die Läuse
die Mäuse
(dazu **euse**)

äuseln

kräuseln
säuseln

äusen

den Gehäusen
den Läusen
den Mäusen
(dazu **eusen**)

äuser

die Däuser
Duckmäuser
die Häuser

äuslein

Häuslein
Mäuslein
Sträußlein

äut

gebläut
Geläut
vertäut
er dräut
er vertäut

(siehe **äuen**)
(dazu **eut**)

äute

die Bräute
Geläute
die Häute
ich häute
ich läute
ich bedräute
ich bläute
(siehe **äuen**)
(dazu **eute**)

äuten

häuten
läuten
den Bräuten
den Häuten
sie bläuten
sie dräuten
(siehe **äuen**)
(dazu **euten**)

äuter

Bärenhäuter
die Kräuter
ich erläuter
ich läuter
(dazu **euter**)

äutern

erläutern
läutern
den Bärenhäutern
den Kräutern
(dazu **eutern**)

äutig

häutig
häut ich

66

läut ich
bedräut' ich
bläut' ich
(siehe **äuen**)
(dazu **eutig**)

äutung

Ausläutung
Häutung
(dazu **eutung**)

äuzchen

Käuzchen
Schnäuzchen
(dazu **euzchen**)

äuzen

den Käuzen
(dazu **euzen**)

af

Autograph
Biograph
brav
Epitaph
Fotograf
Geograph
Graf
Kalligraph
Kinematograph
konkav
Paragraph
Phonograph
Pornograph
Schaf
Schlaf
Seraph
Stenograf
Telegraf
ich schlaf
ich traf
(siehe **afen**)

afe

Strafe
die Schafe
im Schlafe
(siehe **af**)
ich schlafe
ich strafe
(siehe **afen**)

afel

Geschwafel
Getafel
Tafel
ich schwafel
ich tafel

afeln

schwafeln
tafeln

afen

Hafen (Ankerplatz)
Hafen (Topf)
schlafen
strafen
sie trafen
des Grafen
den Schafen
(siehe **af**)

afer

Hafer
ein braver

aff

Aff'
baff
Geklaff
Haff
Kaff

Pfaff'
piff-paff!
Schaff
schlaff
straff
ich raff
ich schaff
(siehe **affen**)

affe

Affe
Agraffe
Geklaffe
Giraffe
Karaffe
Laffe
Pfaffe
Schlaraffe
in dem Kaffe
der straffe
(siehe **aff**)
ich raffe
ich schaffe
(siehe **affen**)

affel

Gaffel
Raffel
Staffel
Waffel

affen

blaffen
erschlaffen
gaffen
geschaffen
klaffen
paffen
raffen
rechtschaffen
Schaffen
schaffen
straffen

den Schaffen
die straffen
(siehe **aff**)
die Affen
die Waffen
(siehe **affe**)

affer

Blaffer
Erschaffer
Gaffer
Kaffer
Metapher
Zeitraffer
ein schlaffer
ein straffer

affnen

bewaffnen
dem Erschaffnen
die rechtschaffnen
die wohlbeschaffnen

afft

(siehe **äft**)

afisch

biographisch
fotografisch
geographisch
stenografisch
telegrafisch

āft

bestraft
gestraft
  ungestraft
ihr schlaft
ihr straft
ihr traft

äft

erschlafft
Haft
. . . haft
  dauerhaft
  dünkelhaft
  ehrenhaft
  ekelhaft
  fabelhaft
  fieberhaft
  flächenhaft
  flatterhaft
  flegelhaft
  geckenhaft
  gewissenhaft
  grauenhaft
  jungenhaft
  körperhaft
  lasterhaft
  launenhaft
  lügenhaft
  mädchenhaft
  märchenhaft
  mangelhaft
  massenhaft
  meisterhaft
  musterhaft
  rätselhaft
  riesenhaft
  sagenhaft
  schauderhaft
  schemenhaft
  schleierhaft
  schmeichelhaft
  schülerhaft
  stümperhaft
  tugendhaft
  vorteilhaft
  zauberhaft
  zweifelhaft
  zwergenhaft
Kraft
kraft
Saft
Schaft

... schaft
  Arbeiterschaft
  Brüderschaft
  Bürgerschaft
  Dienerschaft
  Eigenschaft
  Errungenschaft
  Gefangenschaft
  Gegnerschaft
  Genossenschaft
  Gevatterschaft
  Hinterlassenschaft
  Hundertschaft
  Jüngerschaft
  Jungfernschaft
  Körperschaft
  Leidenschaft
  Meisterschaft
  Mutterschaft
  Nachbarschaft
  Priesterschaft
  Rechenschaft
  Ritterschaft
  Turnerschaft
  Völkerschaft
  Wanderschaft
  Wissenschaft
  Witwenschaft
Taft
vergafft
er rafft
er schafft
(siehe **affen**)

aften

haften
verhaften
verkraften
sie gafften
sie rafften
(siehe **affen**)
die Leidenschaften
die tugendhaften
(siehe **äft**)

after

After
Auskundschafter
Klafter
ein geraffter
ein herbeigeschaffter
(siehe **affen**)
grauenhafter
ein zauberhafter
(siehe **äft**)

aftig

leibhaftig
saftig
wahrhaftig

ag

Beschlag
  Hufbeschlag
Betrag
Ertrag
Gelag
Hag
heutzutag
ich mag
Sarkophag
Schlag (Hieb, Klang)
  Amselschlag
  Flügelschlag
  Hammerschlag
  Ritterschlag
Schlag (Art, Geschlecht)
  Menschenschlag
Tag
  Donnerstag
  Feiertag
  Freudentag
  Sommertag
  Trauertag
Verlag
Verschlag
Vertrag
vag

ich vermag
zag
ich frag
ich lag
ich trag
ich wag
(siehe **agen**)

agbar

beklagbar
tragbar
  untragbar
unsagbar
unschlagbar

agd

(siehe **agt**)

age

Blage
Frage
Gelage
Gejage
Geklage
heutzutage
Klage
Lage
  Niederlage
  Unterlage
  Wetterlage
Plage
Sage
Trage
vage
Waage
zage
beim Schlage
die Tage
(siehe **ag**)
ich sage
ich wage
(siehe **agen**)

70

age (āsche)

Apanage
Arbitrage
Bagage
Bandage
Blamage
Courage
Drainage
Emballage
Equipage
Eremitage
Etage
Furage
Gage
Garage
Karambolage
Kartonage
Kolportage
Mariage
Massage
Menage
Montage
Page
Passage
Persiflage
Plantage
Rage
Renommage
Reportage
Sabotage
Spionage
Staffage
Stellage
Takelage
Tonnage
Trikotage
Visage

agel

Hagel
Janhagel
Nagel
Zagel

ageln

hageln
nageln

agen

abschlagen
antragen
auftragen
Behagen
behagen
beschlagen (kundig)
Betragen
sich betragen
entsagen
fragen
jagen
klagen
Kragen
sie lagen
Magen
nagen
ragen
  aufragen
  überragen
sagen
schlagen
  anschlagen
  beschlagen
  losschlagen
  nachschlagen
  zuschlagen
tragen
  hertragen
  wegtragen
versagen
verschlagen
sich vertragen
Wagen
wagen
zagen
  verzagen
sich zutragen
den Gelagen
den Tagen

(siehe **ag**)
die Fragen
die Klagen
(siehe **age**)

agend

beklagend
nichtssagend
vielsagend
wehklagend
weittragend
fragend
(siehe **agen**)

agende

der Entsagende
der nagende (Schmerz)
der Überragende
der Wagende
der Zagende
(siehe **agen**)

ager

Ansager
Frager
hager
Ja-Sager
Lager
Leuteplager
mager
Nager
Schlager
Schwager
Versager
ein vager
ein zager

agern

abmagern
belagern
lagern
in den Lagern

die hagern
(siehe **ager**)

agisch

magisch
tragisch

aglich

behaglich
fraglich
vertraglich

agner

Wagner
ein abgetragner
ein verschlagner
(siehe **agen**)

agt

Jagd
Magd
behagt
betagt
gefragt
gejagt
gesagt
es tagt
ihr lagt
ihr tragt
(s. **agen**)

agte

der Betagte
er sagte
(siehe **agen**)

agung

Befragung
Beklagung
Entsagung

Tagung
Übertragung
Unterschlagung
Vertagung

ahe

beinahe
nahe
Rahe
ich bejahe
ich nahe
(siehe **ahen**)

ahen

bejahen
fahen (fangen)
nahen
sie sahen
es geschahen
die Rahen
die nahen

ai

Bai
Hai
Kai
Lakai
Mai
(dazu **ei**)

aib

Laib
(dazu **eib**)

aibe

die Laibe
(dazu **eibe**)

aich

Laich
(dazu **eich**)

aichen

laichen
(dazu **eichen**)

aicht

gelaicht
(dazu **eicht**)

aid

Maid
Waid
(dazu **eit**)

aiden

die Maiden
(dazu **eiden**)

aie

Laie
Maie
die Haie
(dazu **eie**)

aien

maien
die Lakaien
im Maien
(siehe **ai**)
(dazu **eien**)

aier

Bayer
Tokaier
(dazu **eier**)

ail (aij)

Detail
Email

aille (aije)

Bataille
Emaille
Kanaille
Taille

ain

Hain
Rain
(dazu **ein**)

ain (äng)

Refrain
Teint
Terrain
Train
(dazu **in**)

aine

die Haine
die Raine
(dazu **eine**)

ainen

den Hainen
den Rainen
(dazu **einen**)

ainer

Anrainer
(dazu **einer**)

aines

des Haines
des Raines
(dazu **eines**)

ains

des Hains
des Rains
(dazu **eins**)

ais

Mais
(dazu **eis**)

aisch

Maisch
(dazu **eisch**)

aischen

maischen
(dazu **eischen**)

aise

Waise
(dazu **eise**)

aisen

verwaisen
die Waisen
(dazu **eisen**)

aiser

Kaiser
(dazu **eiser**)

aist

verwaist
(dazu **eist**)

aite

Saite
(dazu **eite**)

aiten

die Saiten
(dazu **eiten**)

aitet

(zart) besaitet
(dazu **eitet**)

āk

Gequak
quak!
ich erschrak
ich stak
(siehe **aken**)

ăk

(siehe **ack**)

ake

Bake
Gequake
Hannake
Kanake
Kloake
Krake
Lake
Phäake
Schnake
ich quake
ich stake
(siehe **aken**)

akel

Bakel
Debakel
Gekrakel
Makel
Mirakel
Orakel
Spektakel

Tabernakel
Tentakel

akeln

abtakeln
auftakeln
krakeln
orakeln
spektakeln
den Orakeln
die Tentakeln
(siehe **akel**)

aken

blaken
sie erschraken
Haken
haken
  einhaken
  aushaken
die Kakerlaken
Laken
quaken
staken
sie staken (steckten)
die Baken
die Phäaken
(siehe **ake**)

ākt

eingehakt
er quakt
(siehe **aken**)

ăkt, ăkte, ăkter

(siehe **ackt, ackte, ackter**)

aktik

Didaktik
Praktik
Taktik

aktion

Aktion
Attraktion
Fraktion

aktisch

didaktisch
faktisch
kataraktisch
praktisch
prophylaktisch
taktisch

aktor

Faktor
Kalfaktor
Redaktor
Refraktor
Traktor

al

Aal
Admiral
anomal
anormal
Areal
Arsenal
astral
atonal
Baal
Bacchanal
banal
brutal
Choral
diagonal
Differential
egal
epochal
fahl
Fanal
fatal
feudal

formal	. . . mal
frugal	allzumal
fundamental	andermal
Futteral	dazumal
Gemahl	einmal
General	hundertmal
genial	jedesmal
global	Manual
Gral	Material
horizontal	Mineral
Hospital	minimal
Ideal	monumental
ideal	Moral
Initial	nasal
international	national
irrational	neutral
Journal	normal
jovial	Opal
kahl	Original
Kanal	oval
Kapital	pastoral
kapital	pauschal
Kardinal	Pedal
Karneval	Pennal
katastrophal	Personal
kausal	Pfahl
klerikal	phänomenal
kolonial	Piedestal
kolossal	Pokal
kongenial	Portal
kontinental	Potential
Korporal	Prinzipal
Kral	provinzial
legal	Qual
liberal	Quartal
Lineal	radikal
Lokal	real
lokal	Regal
loyal	Ritual
Madrigal	Saal
Mahl	sakral
Abendmahl	Schal
Mittagsmahl	schal
Mal	schmal
Ehrenmal	sentimental
Muttermal	Signal

sintemal
Skandal
sozial
Spital
Stahl
Strahl
Tal
total
Tribunal
triumphal
trivial
universal
Veronal
vertikal
vital
Vokal
Wahl
Wal
Zahl
Zentral
zentrifugal
zentripetal
zumal
ich befahl
ich zahl
(siehe **alen**)

alb

Alb (Gebirge)
Alp (Gebirgsweide)
Alp (Quälgeist)
falb
halb (Hälfte)
  anderthalb
  dreieinhalb
  ... halb (um ... willen)
  deinethalb
  deshalb
  seinethalb
  ... halb (Lage)
  außerhalb
  innerhalb
Kalb
ich salb
Skalp

albe

Albe (Gewand)
Salbe
Schwalbe
ich salbe
dem Kalbe
der halbe
(siehe **alb**)

alben

die Alben (Bücher)
allenthalben
kalben
salben
die falben
die halben
die Salben
die Schwalben
(siehe **albe**)

alber

Gealber
Gekalber
Quacksalber
ein falber
ein halber

albern

albern (läppisch)
albern (Läppisches treiben)
  veralbern
kalbern

ald

(siehe **ält**)

alde

Alkalde
Halde

77

Skalde
im Walde

aldig

baldig
waldig

ale

Ahle
Biennale
Diagonale
Extemporale
Fiale
Filiale
Finale
Geprahle
Internationale
Kabale
Kannibale
Kathedrale
Orientale
Rivale
Salto mortale
Sandale
Schale
Spirale
Wandale
Zentrale
die Generale
viele Male
im Tale
eine fahle
(siehe **al**)
ich prahle
ich zahle
(siehe **alen**)

alen

sich aalen
die Annalen
sie befahlen
sie empfahlen
mahlen

malen
prahlen
sie stahlen
strahlen
verschalen
zahlen
den Idealen
die Neutralen
(siehe **al**)
die Rivalen
die Schalen
(siehe **ale**)

aler

Maler
Prahler
Taler
Zahler
ein fataler
ein liberaler
(siehe **al**)

alerisch

malerisch
prahlerisch

alg

Balg
Blasebalg
Talg

alge

Alge
dem Balge
ich balge

algen

balgen
Galgen
die Algen

alie

Dahlie
Lappalie
Repressalie

alien

Australien
die Dahlien
Fressalien
Italien
die Kapitalien
die Lappalien
die Marginalien
die Materialien
die Mineralien
die Regalien
die Repressalien
die Saturnalien

alin

Gemahlin
Generalin
Prinzipalin
Rivalin
Vestalin

alisch

animalisch
bengalisch
bestialisch
infernalisch
italisch
kannibalisch
kollegialisch
martialisch
moralisch
musikalisch
orientalisch
patriarchalisch
physikalisch
sentimentalisch
theatralisch

alk

Alk
Kalk
Katafalk
Schalk
Talk
ich walk
(siehe **alken**)

alke

Falke
die Alke
die Schalke
(siehe **alk**)
ich kalke
ich walke
(siehe **alken**)

alken

Balken
kalken
    verkalken
walken
    verwalken
die Falken
den Schalken
(siehe **alk**)

all

all (alle)
All
Ball
    Maskenball
    Sommerball
    Sonnenball
    Wasserball
Drall
drall
Fall
    Sündenfall
    Überfall

Wasserfall
Zwischenfall
Feldmarschall
Geknall
Gelall
Hall
  Widerhall
Intervall
Knall
Krawall
Kristall
Metall
Nachtigall
Overall
Prall
  Zusammenprall
prall
Schall
Schwall
Stall
Tattersall
überall
Vasall
Verfall
Walhall
Wall
ich fall
ich wall
(siehe **allen**)

alla

Allah
Gala
Kalla
Narrhalla
Walhalla

alle

alle
Falle
Galle
Geknalle
Halle
Kalle

Koralle
Kralle
Qualle
Ralle
Schnalle
dem Balle
die Kristalle
eine dralle
(siehe **all**)
ich bestalle
ich falle
(siehe **allen**)

allen

Ballen
ballen
  zusammenballen
bestallen
fallen
  anheimfallen
  befallen
  durchfallen
  einfallen
  entfallen
  verfallen
  zerfallen
Gefallen
  Wohlgefallen
gefallen
hallen
  verhallen
knallen
  zerknallen
krallen
kristallen
lallen
metallen
prallen
  zusammenprallen
schallen
schnallen
stallen
überfallen
wallen
die Nachtigallen

die prallen
(siehe **all**)
die Krallen
von allen
(siehe **alle**)

aller

Bestaller
Knaller
Waller
ein draller
ein praller

alles

alles
Dalles
jeden Falles
des Balles
ein drales
(siehe **all**)

allig

gallig
Hallig
knallig
krallig
quallig

allisch

gallisch
kristallisch
metallisch
phallisch

alls, allt, allte

(siehe **ăls, ălt, ălte**)

allung

Ballung
Bestallung

Stallung
Umkrallung
Umwallung
Wallung

alm

Alm
Halm
Psalm
Qualm
Salm
Walm
ich qualm
ich zermalm

alme

Palme
die Halme
die Psalme
ich qualme
ich zermalme

almen

qualmen
zermalmen
die Almen
die Psalmen
den Halmen

alp

(siehe **alb**)

āls

abermals
vielmals
des Aals
des Tals
(siehe **al**)
ich befahl's
ich zahl's
(siehe **alen**)

ăls

. . . falls
  allenfalls
  bestenfalls
  jedenfalls
  keinesfalls
Hals
des Balls
Walhalls
(siehe **all**)
ich zerknall's
(siehe **allen**)

ālt

bemalt
bezahlt
  unbezahlt
gemalt
  angemalt
  handgemalt
geprahlt
gezahlt
  angezahlt
verschalt
er aalt (sich)
er strahlt
(siehe **alen**)

ält

abgeprallt
Alt
alt
angeschnallt
Asphalt
Aufenthalt
bald
  alsbald
  sobald
Basalt
bestallt
  wohlbestallt
dergestalt
Erhalt
geballt

das Gehalt
der Gehalt
Gestalt
Gewalt
  Allgewalt
  Naturgewalt
  Staatsgewalt
Halt
halt!
Heilanstalt
Hinterhalt
kalt
mißgestalt
Sachverhalt
Spalt
ungestalt
Unterhalt
verhallt
verknallt
Vorbehalt
Wald
wohlgestalt
ihr fallt
es knallt
er lallt
(siehe **allen**)
es galt
ich halt
(siehe **alten**)

ālte

das Gemalte
ich prahlte
er bezahlte
(siehe **alen**)

älte

Balte
Falte
Spalte
er lallte
es schallte
(siehe **allen**)
der Alte

82

ins Kalte
(siehe **ält**)
ich gestalte
ich halte
(siehe **alten**)

alten

erkalten
falten
  entfalten
gestalten
halten
  abhalten
  aufhalten
  behalten
  enthalten
  erhalten
  vorenthalten
schalten
  abschalten
  einschalten
spalten
ungehalten
unterhalten
veralten
Verhalten
verhalten (zögernd)
verwalten
vorhalten
Walten
walten
wohlbehalten
sie entgalten
sie galten
sie schalten (von schelten)
sie vergalten
sie knallten
sie schallten
(siehe **allen**)
die alten
die kalten
(siehe **ält**)
die Falten
die Spalten
(siehe **älte**)

alter

Alter
  Kindesalter
  Mannesalter
  Mittelalter
Erhalter
Falter
Gestalter
  Raumgestalter
Halter
  Federhalter
  Büstenhalter
Psalter
Schalter
Spalter
Unterhalter
Verwalter
ein alter
ein ungestalter
(siehe **ält**)

altern

altern
den Faltern
den Gestaltern
den Verwaltern
(siehe **alter**)

altet

eingeschaltet
erkaltet
gefaltet
gestaltet
  mißgestaltet
  wohlgestaltet
umgeschaltet
verwaltet
ihr knalltet
ihr pralltet
(siehe **allen**)
ihr haltet
er waltet
(siehe **alten**)

altig

doppelspaltig
eisenhaltig
faltig
gewaltig
mannigfaltig
vielgestaltig

altsam

enthaltsam
gewaltsam
unaufhaltsam
unterhaltsam

altung

Entfaltung
Enthaltung
Erhaltung
Erkaltung
Gestaltung
Haltung
Mühewaltung
Schaltung
Spaltung
Unterhaltung
Verwaltung

alung

Bemalung
Strahlung
  Bestrahlung
Verschalung
Zahlung
  Bezahlung
Übermalung

alve

Malve
Salve

alz

Balz
Falz
Malz
Pfalz
Salz
Schmalz
er lallt's
da schallt's
(siehe **allen**)
da galt's
halt's
(siehe **alten**)
ich falz
ich versalz
(siehe **alzen**)

alze

Walze
Gebalze
Geschnalze
die Falze
die Salze
(siehe **alz**)
ich balze
ich versalze
ich walze
(siehe **alzen**)

alzen

balzen
falzen
malzen
salzen
schmalzen
schnalzen
versalzen
walzen
die Walzen
die Pfalzen
den Salzen
(siehe **alz**)

84

alzer

Falzer
Schnalzer
Walzer

ām

Amalgam
Bram
Gram
gram
infam
Kram
lahm
Madame
Melodram
monogam
Nam'
polygam
Prahm
Rahm
. . . sam
  arbeitsam
  aufmerksam
  lobesam
  mitteilsam
  tugendsam
  unbeugsam
  unduldsam
  unwegsam
  wonnesam
  wundersam
  zaubersam
Scham
Tram
zahm
ich bekam
ich erlahm
ich nahm
(siehe **amen**)

ăm

(siehe **amm**)

ama

Brahma
Drama
Fama
Lama
Panorama

ambe

Dithyrambe
Gambe
Jambe

ame

Bestandsaufnahme
Dame
Entgegennahme
Name
Reklame
Same
dem Grame
die tugendsame
(siehe **ām**)
ich krame
ich lahme
(siehe **amen**)

amen

abrahmen
Amen
sie bekamen
besamen
Brosamen
erlahmen
Examen
Hamen
sie kamen
  entkamen
kramen
lahmen
Namen
nachahmen

sie nahmen
  entnahmen
  übernahmen
Rahmen
rahmen
  einrahmen
  umrahmen
Samen
sie unternahmen
sie verkamen
verlangsamen
sie vernahmen
die infamen
die zahmen
(siehe **ām**)
die Damen
die Reklamen
(siehe **ame**)

amer

Nachahmer
ein lahmer
ein infamer
(siehe **ām**)

amhaft

namhaft
schamhaft

amik

Dynamik
Keramik

amisch

balsamisch
dynamisch
keramisch
monogamisch

amm

am
bimbam!
Bräutigam
Damm
Gramm
  Kilogramm
  Milligramm
… gramm
  Anagramm
  Autogramm
  Epigramm
  Monogramm
  Programm
  Stenogramm
  Telegramm
Kamm
Klamm
klamm
Lamm
Schlamm
Schwamm
Slum
Stamm
stramm
Tamtam
ich schwamm
ich verdamm
(siehe **ammen**)

amme

Amme
Flamme
Ramme
Schramme
Wamme
die Stenogramme
auf dem Damme
(siehe **amm**)
ich entflamme
ich ramme
(siehe **ammen**)

ammel

Bammel
Gebammel
Gerammel
Gestammel
Hammel

ammelich(g)

(siehe **ammlich(g)**)

ammeln

bammeln
rammeln
  verrammeln
sammeln
  einsammeln
  versammeln
die Schrammeln
schrammeln
stammeln

ammen

entschlammen
flammen
  entflammen
rammen
schrammen
sie schwammen
stammen
strammen
verdammen
verschlammen
zusammen
den Bräutigamen
die strammen
(siehe **amm**)
die Flammen
die Schrammen
(siehe **amme**)

ammer

Ammer (Vogel)
Ammer (Kirsche)
Hammer
Jammer
Kammer
Klammer
ein klammer
ein strammer

ammern

hammern
jammern
klammern
die Ammern
in den Kammern
(siehe **ammer**)

ammig

hundertflammig
schlammig
schwammig

ammlich(g)

bamm(e)lig
damm(e)lich
ramm(e)lig

amms, ammt

(siehe **ăms, ămt**)

ampe

Krampe
der Lampe (Hase)
die Lampe (Leuchte)
Rampe
Schlampampe
Schlampe
Wampe

ampel

Ampel
Gehampel
Gekampel
Gestrampel
Getrampel
Trampel

ampeln

hampeln
kampeln
strampeln
trampeln
die Ampeln
den Trampeln

ampen

krampen
schlampampen
verschlampen
die Lampen
die Schlampen
(siehe **ampe**)

ampf

Dampf
Gestampf
Kampf
Krampf
ich dampf
ich stampf
(siehe **ampfen**)

ampfe

Klampfe
Stampfe
im Dampfe
im Kampfe
(siehe **ampf**)
ich krampfe
ich stampfe
(siehe **ampfen**)

ampfen

andampfen
dampfen
verdampfen
krampfen
stampfen
vorüberdampfen

ampfer

Dampfer
Kampfer
Sauerampfer
Stampfer

ampfig

dampfig
krampfig

ampft

verdampft
verkrampft
zerstampft
es dampft
er stampft
(siehe **ampfen**)

ampig

pampig
schlampig

āms

des Grams
da kam's
ich nahm's
(siehe **amen**)

ăms

Gams
Krimskrams
Wams

des Damms
des Stamms
(siehe **amm**)
da schwamm's
ich verdamm's
(siehe **ammen**)

āmt

ausgekramt
besamt
eingerahmt
erlahmt
nachgeahmt
ihr kamt
er lahmt
(siehe **amen**)

ămt

Amt
angestammt
entflammt
gesamt
  insgesamt
Samt
samt
verdammt
verklammt
verschlammt
er entflammt
er entstammt
(siehe **ammen**)

ān

Aeroplan
Ahn
Alkoran
Altan
Bahn
  Autobahn
  Eisenbahn
  Lebensbahn
  Rodelbahn
  Straßenbahn

Baldrian
Blödian
Cellophan
Dekan
Diwan
Don Juan
Dragoman
Dummerjan
Enzian
Fasan
Filigran
Galan
getan
  abgetan
  angetan
  zugetan
Gran
Grobian
Hahn
human
Kahn
Kaplan
Kastellan
Khan
Koran
Korduan
Kormoran
Kran
Kumpan
Lateran
Liederjan
Majoran
Marzipan
Meridian
momentan
Organ
Orkan
Ozean
Päan
Pan
Partisan
Pavian
Pelikan
Plan
Porzellan
profan

Ramadan
Roman
Saffian
Sakristan
Scharlatan
Schlendrian
Schwan
simultan
Sopran
Span
spontan
Talisman
Thymian
Titan
Tran
  Lebertran
Ulan
ultramontan
Untertan
untertan
Uran
urban
Urian
Vatikan
Veteran
Vulkan
Wahn
Zahn
bejahn
sie sahn
(siehe **ahen**)

ăn

(siehe **ann**)

ance (angße)

Alliance
Avance
Chance
France
Kontenance
Medisance
Mesalliance
Résistance

Usance
(dazu **ence**)

and

(siehe **ănt**)

and (aŋg)

Grand
(dazu **ant, ent**)

ande

Bande (Trupp)
Bande (Bindungen)
Bande (Einfassung)
Girlande
Grande
hierzulande
imstande
Konterbande
Sarabande
Schande
am Strande
der Verwandte
(siehe **ănt**)
ich lande
ich strande
(siehe **änden**)

andel

Bandel
Handel
Kandel
Machandel
Mandel
Wandel
ich handel
ich wandel
(siehe **andeln**)

andeln

anbandeln
behandeln

handeln
mißhandeln
unterhandeln
verhandeln
verschandeln
wandeln (gehen)
  lustwandeln
wandeln (ändern)
  verwandeln
die Kandeln
die Mandeln
(siehe **andel**)

andelt

eingehandelt
mißhandelt
verschandelt
verwandelt
er handelt
er lustwandelt
(siehe **andeln**)

ānden

ahnden
fahnden

ănden

abgestanden
sie banden
beanstanden
sie bestanden
branden
einverstanden
. . . handen
  abhanden
  vorhanden
  zuhanden
sie entstanden
sie erstanden
sie fanden
  erfanden
sie gestanden
sie schwanden
  verschwanden

sie standen
stranden
umranden
versanden
zuschanden
die Konfirmanden
in Banden
die Girlanden
(siehe **ande**)

ander

Brander
Durcheinander
. . . einander
  durcheinander
  miteinander
  voneinander
  zueinander
Expander
Kalander
Mäander
Oleander
Palisander
Salamander
selbander
Zander
ich wander

andern

wandern
die andern
den Oleandern
den Salamandern
(siehe **ander**)

andig

brandig
sandig

andlung

Behandlung
Handlung

Mißhandlung
Verhandlung
Verschandlung
Wandlung
  Verwandlung

andrer

ein andrer
Wandrer

ands

(siehe **anz**)

andschaft

(siehe **antschaft**)

āndung

Ahndung
Fahndung

ǎndung

Brandung
Gewandung
Landung
Strandung
Umrandung
Versandung
Wandung

ane

Ahne
Banane
Brahmane
Fahne
Germane
Karawane
Kleptomane
Kurtisane
Liane
Membrane

Ottomane
Partisane
Plane
Platane
Sahne
Schikane
Soutane
Titane
Zyane
die Kumpane,
dem Zahne
(siehe **ān**)
ich ahne
ich plane
(siehe **anen**)

anen

absahnen
ahnen
bahnen
filigranen
mahnen
die Manen
marzipanen
planen
porzellanen
schwanen
tranen
zahnen
den Kaplanen
die profanen
(siehe **ān**)
die Ahnen
die Germanen
(siehe **ane**)

aner

Afrikaner
Amerikaner
Dominikaner
Eisenbahner
Franziskaner
Indianer
Insulaner

Liliputaner
Lutheraner
Mahner
Mohikaner
Neapolitaner
Persianer
Planer
Primaner
Puritaner
Republikaner
Sekundaner
Straßenbahner
Tertianer
ein humaner
ein spontaner
(siehe **ān**)

anft

Ranft
sanft

ang

bang
Belang
Bumerang
Drang
  Lebensdrang
  Schaffensdrang
  Tatendrang
Empfang
Fang
Gang (Lauf)
  Müßiggang
  Niedergang
  Übergang
  Untergang
Gang (Schalteinrichtung)
  Rückwärtsgang
Gesang
  Abgesang
  Chorgesang
  Grabgesang
Hang
  Felsenhang
  Überhang

Klang
  Donnerklang
  Glockenklang
  Liederklang
lang (räumlich)
  ellenlang
  meilenlang
  meterlang
lang (zeitlich)
  lebenslang
  nächtelang
  tagelang
Notausgang
Rang
Sang
  Männersang
  Sirenensang
  Vogelsang
  Wellensang
im Schwang
Strang
Tang
Überschwang
Zwang
es gelang
es klang
ich sang
(siehe **angen**)

ange

bange
lange
Range
Schlange
Spange
Stange
Wange
Zange
die Belange
in vollem Gange
im Schwange
(siehe **ang**)
ich bange
ich verlange
(siehe **angen**)

angel

Angel
Gerangel
der Mangel
die Mangel
Tingeltangel
Triangel
ich angel
ich hangel
(siehe **angeln**)

angeln

angeln
hangeln
mangeln
rangeln

angen

anfangen
bangen
befangen
begangen
belangen
sie drangen
gehangen
gelangen (irgendwohin)
sie gelangen (von gelingen)
empfangen
entgangen
erlangen
fangen
gefangen
gegangen
gehangen
gelangen
sie klangen
  erklangen
  verklangen
langen (ausreichen)
langen (eine Ohrfeige)
sie mißlangen
prangen
sie sangen
  besangen

sie schlangen
  umschlangen
  verschlangen
sie schwangen
sie sprangen
  entsprangen
  umsprangen
  versprangen
Unterfangen
vergangen
Verlangen
verlangen
sie zwangen
  bezwangen
die Wangen
die langen
(siehe **ange**)

anger

Anger
Handlanger
Pranger
schwanger
ein banger
ein langer

anglos

belanglos
klanglos
sanglos
zwanglos

angst

Angst
du bangst
du zwangst
(siehe **angen**)

anich(g)

Kranich
sahnig
tranig

94

zahnig
ahn ich
mahn ich
(siehe **anen**)

anik

Botanik
Mechanik
Panik

anisch

afrikanisch
amerikanisch
botanisch
germanisch
lutheranisch
manisch
mechanisch
mohammedanisch
muselmanisch
organisch
ozeanisch
panisch
puritanisch
republikanisch
romanisch
satanisch
spanisch
spartanisch
titanisch
vulkanisch

ank

Bank (Sitzgelegenheit)
Bank (Geldinstitut)
blank
Dank
frank
Gerank
Gestank
Gezank
krank
Schank

schlank
Schrank
Schwank
schwank
Tank
Trank
ohne Wank
Zank
ich sank
ich trank
(siehe **anken**)

anke

Anke
Gedanke
Geranke
Gezanke
Opanke
Planke
Pranke
Ranke
Schranke
zum Danke
der Kranke
(siehe **ank**)
danke!
ich schwanke
(siehe **anken**)

anken

danken
  bedanken
  verdanken
kranken
  erkranken
ranken
  umranken
sie sanken
  versanken
schwanken
sie stanken
tanken
sie tranken
  betranken (sich)

zanken
die Banken
die Kranken
(siehe **ank**)
die Gedanken
die Ranken
(siehe **anke**)

anker

Anker
Janker
Kanker
Tanker
ein Kranker
ein schlanker
(siehe **ank**)

ankhaft

krankhaft
schwankhaft
zankhaft

ankt

(sei) bedankt!
erkrankt
sakrosankt
umrankt
vollgetankt
ihr trankt
er wankt
(siehe **anken**)

anlos

bahnlos
planlos
zahnlos

ann

an
  daran
  dran

heran
hinan
hintan
voran
Bann
bergan
dann
  alsdann
  sodann
Gespann
Kanaan
ich kann
man
Mann
  Edelmann
  Ehemann
  Ehrenmann
  Hampelmann
  Hintermann
  Mittelsmann
  Steuermann
  Wandersmann
Muselman
Rührmichnichtan
Spann
Tann
Tyrann
wann
wann?
woran
ich bann
ich sann
(siehe **annen**)

anne

Granne
Kanne
Panne
Pfanne
Schranne
Spanne
Tanne
Wanne
die Gespanne
dem Manne

(siehe **ann**)
ich banne
ich bemanne
(siehe **annen**)

annen

bannen
sie begannen
bemannen
entmannen
sie entrannen
ermannen
sie gewannen
sie sannen
besannen
ersannen
spannen
sie spannen
übermannen
die Mannen
von dannen
von wannen
(siehe **ann**)
die Pannen
die Tannen
(siehe **anne**)

anner

Banner
Bogenspanner
Büchsenspanner
Spanner (Schmetterling)
begann er
gewann er
(siehe **annen**)

anns, annt

(siehe **ans, änt**)

annung

Bemannung
Bespannung

Spannung
Entspannung
Verbannung

ans

Gans
Hans
Stimulans
des Gespanns
des Manns
ich kann's
(siehe **ann**)
ich begann's
ich gewann's
(siehe **annen**)

anst

Wanst
du kannst
du bannst
du entrannst
(siehe **annen**)

ānt

ermahnt
geahnt
gebahnt
verzahnt
mir schwant
er plant
ihr ahnt
(siehe **anen**)

ănt

Adjutant
allerhand
Amarant
amüsant
Arrestant
arrogant
Aspirant
Bacchant

der Band (Buch)
das Band (Stoffstreifen)
Beiderwand
bekannt
  unbekannt
bemannt
  unbemannt
Bestand
blümerant
Brand
brillant
charmant
Debütant
Dechant
Defraudant
Denunziant
Diamant
Dilettant
Diskant
Duellant
eklatant
Elefant
elegant
Emigrant
erkannt
extravagant
Fabrikant
Fant
Flagellant
Foliant
frappant
fulminant
galant
Garant
gebannt
gebrannt
  abgebrannt
  angebrannt
  ausgebrannt
  eingebrannt
gekannt
genannt
genant (peinlich)
gesandt
  abgesandt
  eingesandt

gespannt
  angespannt
  eingespannt
  hochgespannt
Gewand
gewandt
Gigant
Gratulant
Hand
Hospitant
Ignorant
imposant
Infant
Intendant
interessant
Intrigant
Kommandant
Komödiant
Konfirmand
konstant
kulant
Laborant
Land
  Abendland
  Morgenland
  Vaterland
Leut(e)nant
Lieferant
markant
mokant
Musikant
Passant
Pedant
penetrant
Pfand
  Unterpfand
pikant
Praktikant
Protestant
Proviant
Querulant
Rand
rasant
Repräsentant
riskant
Sand

Schmant
Sekundant
Sergeant
Sextant
Simulant
Spant
Spekulant
Stand
 Ehestand
 Gegenstand
 Unterstand
 Widerstand
Strand
Tand
tolerant
Trabant
überhand
übermannt
überspannt
unverwandt
Vagant
vakant
Verband
verbannt
verbrannt
verkannt
verrannt
Verstand
verwandt
vigilant
vorderhand
Vorwand
Wand
Want
die Konterband'
die Schand'
(siehe **ande**)
ich band
ich stand
ich strand
(siehe **anden**)
ich kannt'
ich rannt'
er bannt
er spannt
(siehe **anten**)

ant (ang)

Bonvivant
en passant
Pendant
Restaurant
Thé dansant
(dazu **and, ent**)

ante

Andante
Dominante
Gouvernante
Kante
Konstante
Levante
Resultante
Sekante
Tante
der Bekannte
der Gesandte
der Verwandte
der elegante
der pikante
(siehe **änt**)
es brannte
ich kannte
ich wandte
(siehe **anten**)

anten

sie bekannten
sie brannten
 verbrannten
diamanten
sie kannten
 erkannten
 verkannten
kanten
sie nannten
 ernannten
sie rannten
sie sandten
sie verwandten

sie wandten
die Bekannten
die Gesandten
die Spanten
die Verbannten
die Wanten
die sogenannten
(siehe **änt**)
die Kanten
die Tanten
(siehe **ante**)

anter

Ganter
Kanter
Panther
ein Verkannter
ein Verbannter
(siehe **änt**)

antig

grantig
kantig

antin

Debütantin
Gratulantin
Infantin
Komödiantin
Pedantin
Protestantin
(siehe **änt**)

antisch

atlantisch
bacchantisch
dilettantisch
gigantisch
komödiantisch
musikantisch
pedantisch
protestantisch
romantisch

antschaft

Bekanntschaft
Gesandtschaft
Landschaft
Verwandtschaft

anung

Ahnung
Anbahnung
Mahnung
Planung
Verzahnung

anz

Allianz
Ambulanz
Arroganz
Bilanz
Diskrepanz
Dissonanz
Distanz
Eleganz
Extravaganz
Finanz
Firlefanz
ganz
Glanz
Instanz
Konkordanz
Kranz
 Ehrenkranz
 Erntekranz
 Jungfernkranz
Mummenschanz
Observanz
Ordonnanz
Resonanz
Schwanz
Substanz
Tanz
Vakanz
des Lands
ich fand's

(siehe **änt**)
die Lanz'
die Schanz'
(siehe **anze**)
ich pflanz
ich tanz
(siehe **anzen**)

anze

Lanze
Pflanze
Pomeranze
  Landpomeranze
Romanze
Schanze
Schranze
Stanze
Wanze
das Ganze
im Glanze
beim Tanze
(siehe **anz**)
ich schanze
ich stanze
(siehe **anzen**)

anzen

alfanzen
anranzen
pflanzen
Ranzen
schanzen
  verschanzen
stanzen
tanzen
zuschanzen
die Bilanzen
die Finanzen
im ganzen
(siehe **anz**)
die Lanzen
die Pflanzen
(siehe **anze**)

anzel

Gstanzel
Kanzel

anzer

Anranzer
Finanzer
Landser
Panzer
Pflanzer
Schanzer
Stanzer
ein ganzer

anzig

ranzig
zwanzig
pflanz ich
tanz ich
(siehe **anzen**)

anzung

Pflanzung
Verschanzung

aph, aphisch

(siehe **af, afisch**)

app

ab
  herab
  hinab
Geklapp
Gelapp
Kap
klipp-klapp!
knapp
papperlapapp!
schlapp
schnipp-schnapp!

101

schwapp!
Trab
tripp-trapp!
ich japp
ich schnapp
(siehe **appen**)

appe

Attrappe
Etappe
Kappe
Klappe
Knappe
Lappe
Mappe
Pappe
Quappe
Rappe
Sappe
Schlappe
Trappe
ich kappe
ich tappe
(siehe **appen**)

appel

Getrappel
Gezappel
Pappel
Rappel
ich rappel
ich trappel
(siehe **appeln**)

appeln

rappeln
trappeln
zappeln
die Pappeln

appen

berappen
Happen

japen
kappen
klappen
Lappen
pappen
Rappen
schlappen
schnappen
  wegschnappen
schwappen
  überschwappen
tappen
  ertappen
überschnappen
verknappen
Wappen
die Knappen
die Rappen
(siehe **appe**)

apper

Geklapper
Geplapper
Klapper
Trapper
knapper

appern

klappern
plappern
Zähneklappern
die Klappern
den Trappern

appt

Abt
angepappt
ertappt
gekappt
verkappt
übergeschnappt
übergeschwappt
es klappt

er tappt
(siehe **appen**)

aps

Flaps
Klaps
Kollaps
Raps
Schnaps
Taps

apst

(siehe **abst**)

apsen

flapsen
japsen
klapsen
knapsen
schnapsen
tapsen
trapsen
verklapsen

apsig

flapsig
klapsig
tapsig

ar

Aar
Adebar
Aktuar
Altar
Antiquar
Ar
Archivar
Bar
bar
. . . bar
  annehmbar

offenbar
sonderbar
undankbar
unfruchtbar
unheilbar
unscheinbar
unsichtbar
unwandelbar
wahrnehmbar
wandelbar
wunderbar
Barbar
Bazar
Bibliothekar
Boudoir
dar
Dromedar
elementar
Exemplar
Februar
Formular
gar (gekocht)
gar (ganz)
Gefahr
gewahr
Haar
Honorar
Husar
immerdar
Inventar
Jaguar
Jahr
Januar
Jubilar
Kar
Kaviar
klar
Kommentar
Kommissar
Korsar
lapidar
Mahr
Mobiliar
Notar
Paar
  Ehepaar

Elternpaar
Liebespaar
Storchenpaar
ein paar
rar
Reservoir
Samowar
Schar
Kinderschar
Vogelschar
Scholar
Seminar
sogar
Star
Talar
Tatar
Vikar
wahr
Zar
zwar
ich fahr
sie gebar
ich war
(siehe **aren**)

arb

rosenfarb
er starb
ich warb
(siehe **arben**)

arbe

Barbe
Farbe
Garbe
Narbe
ich darbe

arben

darben
sie erwarben
sie starben
sie verdarben

vernarben
sie warben
bewarben
die Farben
die Garben
(siehe **arbe**)

arch

Hierarch
Monarch
Patriarch

arche

Arche
Geschnarche
ich schnarche

archen

schnarchen
die Monarchen
(siehe **arch**)

ărd

(siehe **ărt**)

arde

Barde
Garde
Hellebarde
Kokarde
Mansarde
Milliarde
Narde
Poularde

are

Bahre
Fanfare
Ware
die Haare

die Paare
das Wunderbare
(siehe **ar**)
ich erfahre
ich gewahre
(siehe **aren**)

aren

erfahren
fahren
Gebaren
gebaren
sie gebaren
gewahren
haaren
die Laren
offenbaren
paaren
scharen
sparen
unerfahren
Verfahren
verfahren
verwahren
wahren
sie waren
in Scharen
den Staren
die wahren
die Bahren
(siehe **ar**)
die Fanfaren
(siehe **are**)

arer

Fahrer
  Autofahrer
  Nordpolfahrer
  Weltraumfahrer
Wahrer
ein klarer
ein wunderbarer
(siehe **ar**)

arf

Bedarf
ich bedarf
ich darf
scharf
ich warf
(siehe **arfen**)

arfe

Arve
Harfe
Larve
eine scharfe

arfen

sie entwarfen
harfen
sie verwarfen
sie warfen
die Harfen
die scharfen
(siehe **arf**)

arft

Warft
er harft
ihr warft
(siehe **arfen**)

arg

Arg
arg
karg
Sarg
ich barg
ich verarg
(siehe **argen**)

argen

einsargen
kargen
verargen

sie verbargen
im argen
die kargen

arig

fahrig
haarig
paarig
war ich
fahr ich
gewahr ich
(siehe **aren**)

arisch

antiquarisch
arisch
barbarisch
elementarisch
exemplarisch
kommissarisch
literarisch
parlamentarisch
planetarisch
proletarisch
solidarisch
statuarisch
summarisch
testamentarisch
tumultuarisch
vegetarisch

arium

Aquarium
Diarium
Inventarium
Kalendarium
Szenarium
Terrarium

ark

autark
Bark

das Mark (Knochenmark)
die Mark (Geldstück)
die Mark (Grenzland)
Park
Quark
stark
Telemark
ich hark
ich park
(siehe **arken**)

arke

Barke
Harke
Marke
der Halbstarke
im Parke
der Starke
(siehe **ark**)
ich harke
ich parke
(siehe **arken**)

arken

erstarken
harken
parken
die Marken
die Halbstarken
(siehe **ark**)
die Barken
die Harken
(siehe **arke**)

arkt

erstarkt
geharkt
geparkt
Infarkt
Markt
er harkt
er parkt
(siehe **arken**)

arlich

offenbarlich
wahrlich
wunderbarlich

arm

Alarm
Arm
arm
Charme
Darm
Farm
Gendarm
Harm
Schwarm (Menge)
Schwarm (Idol)
warm
daß Gott erbarm'
ich umarm
(siehe **armen**)

arme

der Arme
die Arme
dem Schwarme
die warme
(siehe **arm**)
ich erwarme
ich verarme
(siehe **armen**)

armen

Erbarmen
erbarmen
erwarmen
umarmen
verarmen
die Armen
in den Armen
die Gendarmen
die warmen
(siehe **arm**)

armer

Allerbarmer
Farmer
ich Armer
ein warmer

armung

Erbarmung
Umarmung
Verarmung

arn

Farn
Garn
Harn
einen Schmarr'n
einen Sparr'n
ich tarn
ich warn
(siehe **arnen**)

arnen

harnen
tarnen
umgarnen
warnen
   entwarnen
   verwarnen
den Farnen
den Garnen

arnung

Entwarnung
Tarnung
Umgarnung
Verwarnung
Warnung

arr

bizarr
Geknarr

Gequarr
Gescharr
Geschnarr
Katarrh
Narr
die Pfarr'
die Zigarr'
(siehe **arre**)
starr
ich harr
ich starr
(siehe **arren**)

arre

Barre
Darre
Farre
Geknarre
Gequarre
Gescharre
Geschnarre
Gitarre
Karre
Knarre
Pfarre
Scharre
Schmarre
Schnarre
Starre
Zigarre
das Bizarre
die Katarrhe
(siehe **arr**)
ich harre
ich erstarre
(siehe **arren**)

arren

Barren
harren
  erharren
  verharren
Karren

karren
knarren
narren
scharren
  verscharren
Schmarren
schnarren
starren
  anstarren
  erstarren
Sparren
die Narren
die starren
(siehe **arr**)
die Karren
die Zigarren
(siehe **arre**)

arrer

Pfarrer
Steinekarrer
ein bizarrer
ein starrer

arrheit

Narrheit
Starrheit

arrt

(siehe **ärt**)

arrung

Beharrung
Erstarrung

ārs

des Aars
des Jahrs
des Paars
(siehe **ar**)
ich erfahr's

ich war's
(siehe **aren**)

ihr wart
(siehe **aren**)

ărsch

Barsch
barsch
Harsch
den Marsch
die Marsch
marsch!

ărt

apart
Gegenwart
hart
Hasard
Leopard
Part
  Widerpart
Quart
smart
Standard
Start
vernarrt
es ward
Wart
  Tankwart
  Wetterwart
er harrt
es knarrt
(siehe **arren**)
ich start
ich wart
(siehe **ărten**)

ărschen

verharschen
die barschen
die Marschen

ārsten

sie barsten
die starrsten
verkarsten

ārt

Art
  Eigenart
  Lebensart
  Redensart
Bart
behaart
bejahrt
bewahrt
Fahrt
gelahrt
geoffenbart
gepaart
geschart
gespart
gewahrt
verwahrt
  wohlverwahrt
zart
ihr fahrt
er spart

ārte

Schwarte
er sparte
er wahrte
(siehe **aren**)
der Gelahrte
das Geoffenbarte
(siehe **ārt**)

ărte

Karte
Quarte
Scharte
Sparte
Standarte
Warte

109

Sternwarte
Wetterwarte
ich harrte
ich starrte
(siehe **arren**)
beim Starte
eine harte
(siehe **ärt**)
ich starte
ich warte
(siehe **ärten**)

ārten

ausarten
entarten
sie offenbarten
sie sparten
(siehe **aren**)
die Fahrten
die bejahrten
(siehe **ārt**)

ärten

Erwarten
Garten
karten (Karten spielen)
starten
warten
  erwarten
sie harrten
sie starrten
(siehe **arren**)
die Quarten
die smarten
(siehe **ärt**)
die Scharten
die Sparten
(siehe **ärte**)

ärter

ein Bejahrter
ein Hochgelahrter
ein wohlverwahrter
(siehe **ārt**)

ärter

Marter
Starter
ein harter
ein vernarrter
(siehe **ärt**)

ārtet

entartet
gutgeartet
ihr spartet
ihr wahrtet
(siehe **aren**)

ärtet

abgekartet
erwartet
  unerwartet
gestartet
ihr starrtet
ihr verharrtet
(siehe **arren**)
ihr startet
ihr wartet
(siehe **ärten**)

ārtheit

Gelahrtheit
Zartheit

ärtheit

Apartheit
Vernarrtheit

artig(ch)

artig
gewahrt' ich
spart' ich
(siehe **aren**)

110

arung

Behaarung
Bewahrung
Erfahrung
Nahrung
Offenbarung
Paarung
Verklarung
Verwahrung
Wahrung

arve

(siehe **arfe**)

ārz

Harz
Quarz
ihr erfahrt's
ihr wahrt's
ihr wart's
(siehe **aren**)

ărz

schwarz
ich erwart's
ich erharrt's
da knarrt's
(siehe **arren**)
des Starts
da ward's
(siehe **ărt**)

ārze

Warze
die Harze
die Quarze

ărze

Parze
das Schwarze

arzer

Karzer
ein schwarzer

arzig

harzig
quarzig
warzig

ās (āß)

Aas
Fraß
Gas
Geras'
Glas
Gras
Klas
Maß
Spaß
Topas
der Has'
die Nas'
die Straß'
(siehe **ase**)
ich blas
ich las
(siehe **asen**)
ich aß
ich saß
(siehe **aßen**)

ăs (ăß)

Aderlaß
Ananas
As
Baß
blaß
Boreas
das
daß
Erlaß
Faß

111

fürbaß
Gelaß
Haß
kraß
en masse
Naß
naß
Nikolas
Parnaß
Paß
Unterlaß
Verlaß
was
zupaß
faß!
laß!
ich verpraß
(siehe **assen**)

asch

Asch
lasch
Pasch
rasch
ich nasch
ich wasch
(siehe **aschen**)

asche

Asche
Flasche
Gamasche
Lasche
Masche
Tasche
ich pasche
ich überrasche
(siehe **aschen**)

aschen

haschen
naschen
paschen

überraschen
verwaschen
waschen
ungewaschen
den Aschen
die raschen
(siehe **asch**)
die Flaschen
die Gamaschen
die Taschen
(siehe **asche**)

ase

Ase
Base
Blase
Ekstase
Emphase
Gaze
Gerase
Hase
Nase
Oase
Paraphrase
Phase
Phrase
Vase
die Gase
im Glase
(siehe **äs**)
ich blase
ich rase
(siehe **asen**)

aße

Straße
zum Fraße
die Maße
im Spaße

asel

Gefasel
Hasel

asen

aasen
blasen
sie genasen
grasen
sie lasen
Rasen
rasen
vergasen
verglasen
Wasen
die Basen
die Hasen
die Phrasen
(siehe **ase**)

aßen

sie aßen
sie besaßen
dermaßen
sie fraßen
über die Maßen
sie maßen
sie saßen
spaßen
die Straßen
sie vergaßen
sie vermaßen (sich)

aser

Blaser
Faser
Glaser
Maser
Vergaser

asern

fasern
die Masern
den Glasern
(siehe **aser**)

asig(ch)

aasig
blasig
gasig
glasig
genas ich
ras ich
(siehe **asen**)

aske

Baske
Maske

asko

Fiasko
Kasko

asmen

Miasmen
Phantasmen
Pleonasmen
Sarkasmen
Spasmen

asmus

Enthusiasmus
Marasmus
Pleonasmus
Sarkasmus
Spasmus

aspel

Gehaspel
Geraspel
Haspel
Paspel
Raspel

aspeln

haspeln
raspeln

verhaspeln
die Paspeln
die Raspeln
(siehe **aspel**)

asse

Barkasse
Brasse
Gasse
Grimasse
Hintersasse
Insasse
Kalebasse
Kasse
Klasse
Masse
Melasse
Passe
Pinasse
Rasse
Tasse
Terrasse
Trasse
die Asse
im Fasse
die blasse
(siehe **äs**)
ich fasse
ich hasse
(siehe **assen**)

assel

Assel
Gemassel
Geprassel
Gequassel
Gerassel
Massel
Rassel
Schlamassel
ich quassel
ich vermassel
(siehe **asseln**)

asseln

prasseln
quasseln
rasseln
vermasseln

assen

sich auslassen
sich befassen
sich einlassen
erblassen
fassen
  anfassen
  erfassen
  umfassen
  zusammenfassen
gelassen
hassen
lassen
  anlassen
  entlassen
  hinterlassen
  unterlassen
passen
  anpassen
  verpassen
prassen
  verprassen
schassen
verfassen
verlassen
vermassen
den Erlassen
die blassen
(siehe **äs**)
die Gassen
die Massen
(siehe **asse**)

assend

passend
umfassend
hassend
(siehe **assen**)

asser

Anlasser
Hasser
Prasser
Verfasser
Wasser
ein blasser
ein nasser

assung

Anpassung
Entlassung
Fassung
Niederlassung
Unterlassung
Verfassung
Vermassung

āst (āßt)

vergast
verglast
ihr blast
ihr last
(siehe **asen**)
ihr saßt
ihr vergaßt
(siehe **aßen**)

ăst (ăßt)

Ast
Ballast
Bast
Bombast
Enthusiast
erblaßt
fast
Gast
gehaßt
gefaßt
gepaßt
gepraßt
Glast

Gymnasiast
Hast
du hast
Knast
Kontrast
Last
Mast
Morast
Palast
Phantast
Quast
Rast
Scholast
verfaßt
verhaßt
verpaßt
verpraßt
er faßt
es paßt
ihr laßt
(siehe **assen**)
ich hast
ich rast
(siehe **asten**)

aste (aßte)

Kaste
Paste
Quaste
Taste
ich faßte
ich praßte
(siehe **assen**)
am Aste
dem Gaste
(siehe **ăst**)
ich faste
ich taste
(siehe **asten**)

asten (aßten)

damasten
Fasten
fasten

115

hasten
Kasten
lasten
  belasten
  entlasten
rasten
tasten
  betasten
sie faßten
sie paßten
(siehe **assen**)
die Lasten
die verhaßten
(siehe **ast**)
die Kasten
die Tasten
(siehe **aste**)

aster (aßter)

Alabaster
Aster
Desaster
Dreimaster
Kataster
Knaster
Kritikaster
das Laster
der Laster (Wagen)
Pflaster
Piaster
Pilaster
Raster
Taster
Zaster
ein verpaßter
ein verhaßter
(siehe **äst**)

astern

alabastern
klabastern
knastern
pflastern
die Astern

116

den Lastern
(siehe **aster**)

astert

vollgepflastert
er klabastert
(siehe **astern**)

astig

astig
hastig
morastig

astik

Drastik
Gymnastik
Phantastik
Plastik
Scholastik

astisch

bombastisch
drastisch
ekklesiastisch
elastisch
enthusiastisch
phantastisch
plastisch
pleonastisch
sarkastisch
scholastisch
spastisch

at

Achat
Advokat
Aggregat
Agnat
akkurat
Akrobat
Allopath

Alumnat
Apparat
Aristokrat
Asiat
Attentat
Autokrat
Automat
Bad
Brokat
Bürokrat
delikat
Demokrat
Deputat
Destillat
Dezernat
Diktat
Diplomat
Draht
Duplikat
Elaborat
Fabrikat
fad
Format
gerad
Grad
grad
Granat
Grat
Herostrat
Homöopath
Inkarnat
Inserat
Internat
Kamerad
Kandidat
Karat
Kastrat
Konglomerat
Konkordat
Konkubinat
Konsulat
Krad
das Legat
der Legat
Maat
Magistrat

Magnat
Mahd
Majorat
Mandat
Moritat
Muskat
Naht
Notariat
obligat
obstinat
Ornat
parat
Passat
Pastorat
Patriarchat
Patronat
Pensionat
Pfad
Pirat
Plagiat
Plakat
Potentat
Prädikat
Prälat
Präparat
Primat
privat
probat
Proletariat
Protektorat
Psychopath
Quadrat
rabiat
Rad
Rat (Titel)
Rat (Hinweis)
Rat (Körperschaft)
Referat
Rektorat
Renegat
Resultat
Saat
ihr saht
Salat
schad
Schrat

Sekretariat
Senat
Skat
Soldat
Spagat
Spat
spat (spät)
Spinat
Staat
stad
Sublimat
Surrogat
Tat
Telepath
Traktat
Triumvirat
Verrat
Vorrat
Zitat
Zitronat
Zölibat
die Gnad'
malad'
(siehe **ade**)
ich lad
ich schad
(siehe **aden**)
die Kemenat'
der Pat'
(siehe **ate**)
ich bat
ich verrat
(siehe **aten**)

ate

Batate
Fermate
Granate
Kantate
Kate
Kemenate
Oblate
Pate
Rate
Sonate

Tomate
die Grate
dem Staate
im Ornate
der obligate
(siehe **at**)
ich nahte
ich wate
(siehe **aten**)

aten

sie baten
   erbaten
   verbaten (sich)
Braten
braten
die Daten
drahten
Dukaten
geraten
mißraten
sie nahten
die Penaten
raten
   beraten
   entraten
   erraten
Rätselraten
skaten
sie taten
sie traten
   betraten
   vertraten
verraten
waten
   durchwaten
die Taten
die Soldaten
die Staaten
die privaten
(siehe **at**)
die Katen
die Paten
die Raten
(siehe **ate**)

ater

Alma mater
Berater
Frater
Kater
Krater
Mater
Pater
Prater
Rater
Skater
Tater (Zigeuner)
Theater
Vater
ein obstinater
ein privater
ein rabiater
(siehe **at**)

atern

matern
verkatern
die delikatern
die probatern
(siehe **at**)
den Patern
die Tatern
(siehe **ater**)

atert

gematert
verkatert

atet

drahtet!
ratet!
er skatet
ihr batet
ihr nahtet
ihr verratet
(siehe **aten**)

atik

Akrobatik
Batik
Diplomatik
Dogmatik
Dramatik
Pneumatik
Problematik
Statik
Systematik

atisch

apathisch
aristokratisch
aromatisch
asiatisch
asthmatisch
autokratisch
automatisch
bürokratisch
chromatisch
demokratisch
diplomatisch
dramatisch
ekstatisch
emphatisch
erratisch
fanatisch
klimatisch
mathematisch
morganatisch
phlegmatisch
pneumatisch
pragmatisch
quadratisch
rheumatisch
schematisch
soldatisch
statisch
sympathisch
symptomatisch
systematisch
telepathisch
traumatisch

ator

Alligator
Diktator
Elevator
Imperator
Inspirator
Inszenator
Plagiator
Präparator
Reformator
Restaurator
Salvator
Transformator
Triumphator
Usurpator

ātsch

Knatsch
Latsch
Tratsch
ich latsch
ich tratsch
(siehe **ätschen**)

ätsch

Kladderadatsch
Klatsch
Matsch
patsch!
Quatsch
ritsch-ratsch!
ich klatsch
ich quatsch
(siehe **ätschen**)

ātsche

Bratsche
Geknatsche
Gelatsche
Gepratsche
Getratsche
Latsche

Watsche
ich latsche
ich tratsche
(siehe **ätschen**)

ätsche

Fliegenklatsche
Geklatsche
Gepatsche
Gequatsche
Klatsche
Patsche
beim Klatsche
im Matsche
ich klatsche
ich ratsche
(siehe **ätschen**)

ātschen

Flatschen
latschen
pratschen
tratschen
die Latschen
die Bratschen
die Watschen
(siehe **ätsche**)

ätschen

klatschen
matschen
patschen
quatschen
ratschen
verklatschen
die Klatschen
die Patschen
(siehe **ätsche**)

att

Blatt
glatt

Goliath
er hat
matt
Nimmersatt
Platt
platt
Rabatt
satt
Stadt
Statt
statt
  anstatt
(findet) statt
Watt (Meeresboden)
Watt (elektr. Maß)
die Debatt'
die Krawatt'
(siehe **atte**)
ich gestatt
ich hatt'
(siehe **atten**)

atte

Debatte
Fregatte
Gatte
Kasematte
Krawatte
Latte
Matte
Mulatte
Patte
Platte
Rabatte
Ratte
Satte
Tratte
Watte
die Goliathe
die Nimmersatte
der glatte
(siehe **att**)
ich ermatte
ich erstatte
(siehe **atten**)

attel

Dattel
Sattel

atteln

satteln
schuhplatteln

atten

abstatten
beschatten
bestatten
blatten
ermatten
erstatten
gatten
  begatten
gestatten
sie hatten
Schatten
den Nimmersatten
die matten
(siehe **att**)
die Gatten
die Platten
die Ratten
(siehe **atte**)

atter

Berichterstatter
Bestatter
Blatter
Gatter
Geknatter
Geratter
Geschnatter
Gevatter
Natter
ein glatter
ein matter
(siehe **att**)

attern

ergattern
flattern
knattern
rattern
schnattern
vergattern
die glattern
die mattern
(siehe **att**)
die Blattern
den Gevattern
(siehe **atter**)

attert

verdattert
vergattert
zerflattert
es rattert
er schnattert
(siehe **attern**)

attung

Begattung
Berichterstattung
Beschattung
Bestattung
Ermattung
Erstattung
Gattung

atum

Datum
Fatum
post Christum natum
Ultimatum

atz

Besatz
Bodensatz
Ersatz

Fratz
Geschmatz
Hatz
Latz
Matz
   Hosenmatz
Platz
plitz-platz!
Rabatz
Ratz
Satz
Schatz
Schmatz
Schwatz
Spatz
Untersatz
die Glatz'
die Katz'
(siehe **atze**)
ich kratz
ich platz
(siehe **atzen**)

atze

Fratze
Geschmatze
Geschwatze
Glatze
Katze
Matratze
Ratze
Tatze
die Schmatze
dem Spatze
(siehe **atz**)
ich schwatze
ich verpatze
(siehe **atzen**)

atzen

Batzen (Geldstück)
Batzen (Klumpen)
kratzen
patzen

122

platzen
schatzen
schmatzen
schwatzen
verpatzen
den Schmatzen
die Spatzen
(siehe **atz**)
die Katzen
den Tatzen
(siehe **atze**)

atzer

Besatzer
Kratzer
Wolkenkratzer

atzig

gnatzig
katzig
kratzig
patzig

atzung

Besatzung
Satzung
Schatzung

au

Au
au!
Bau
  Gemüsebau
  Körperbau
  Tagebau
  Unterbau
Blau
blau
flau
Frau
Gau
genau
grau

Kabeljau
Kotau
k. v.
lau
mau
miau!
Pfau
Radau
rauh
Sau
Schau
  Modenschau
  Truppenschau
  Vogelschau
  Wochenschau
schlau
Stau
das Tau
der Tau
Verhau
wau-wau!
ich schau
schau!
ich trau
trau!
  vertrau!
(siehe **auen**)

aub

Laub
Raub
Staub
taub
mit Verlaub
ich glaub
ich schraub
(siehe **auben**)

aube

Daube
Glaube
  Aberglaube
  Gespensterglaube
  Kinderglaube

123

Haube
Laube
  Gartenlaube
Schaube
Schraube
  Steuerschraube
Taube
  Friedenstaube
Traube
dem Laube
im Staube
die taube
(siehe **aub**)
ich erlaube
ich glaube
(siehe **auben**)

auben

belauben
erlauben
Glauben
glauben
klauben
rauben
  ausrauben
  berauben
schnauben
schrauben
  abschrauben
  anschrauben
  verschrauben
stauben
  verstauben
die tauben
die Lauben
die Trauben
(siehe **aube**)

auber

Klauber
sauber
Tauber
Zauber
ein tauber

124

aubern

zaubern
den Taubern
die saubern
(siehe **auber**)

aub(e)rer

Zaub(e)rer
ein saub(e)rer

aubt

belaubt
erlaubt
  unerlaubt
geschraubt
Haupt
  Bergeshaupt
  Menschenhaupt
  Oberhaupt
überhaupt
verschraubt
verstaubt
er glaubt
er schraubt
(siehe **auben**)

aubte

er glaubte
er raubte
(siehe **auben**)
der entlaubte
dem Haupte
der Totgeglaubte
(siehe **aubt**)

aubten

behaupten
enthaupten
sie klaubten
sie schnaubten
(siehe **auben**)

die geraubten
die verstaubten
(siehe **aubt**)

auch

auch
Bauch
Brauch
Gauch
Gebrauch
Hauch
Lauch
Rauch
Schlauch
Strauch
Verbrauch
ich brauch
ich rauch
(siehe **auchen**)

auche

Jauche
dem Bauche
dem Strauche
(siehe **auch**)
ich brauche
ich stauche
(siehe **auchen**)

auchen

brauchen
 gebrauchen
 verbrauchen
fauchen
 anfauchen
hauchen
 anhauchen
 verhauchen
jauchen
krauchen
rauchen
schlauchen

schmauchen
stauchen
 verstauchen
tauchen
 auftauchen
 untertauchen

aucher

Raucher
Staucher
Taucher
Verbraucher

auchig(ch)

bauchig
jauchig
rauchig
brauch ich
tauch ich
(siehe **auchen**)

aucht

erlaucht
gebaucht
gebraucht
verbraucht
verhaucht
verraucht
er kraucht
er taucht
(siehe **auchen**)

aude

Baude
Staude

auder

Geplauder
Schauder

audern

plaudern
schaudern
zaudern

aue

Aue
Braue
Haue
Klaue
Naue
ins Blaue
die Gaue
(siehe **au**)
ich baue
ich schaue
(siehe **auen**)

auen

abflauen
bauen
  bebauen
  erbauen
  verbauen
behauen
betrauen
blauen
brauen
ergrauen
Grauen
grauen (ängsten)
grauen (dämmern)
hauen
  abhauen
  verhauen
  zerhauen
kauen
klauen
krauen
miauen
Morgengrauen
rauhen
schauen

anschauen
beschauen
hinschauen
stauen
trauen (vermählen)
trauen (für sicher halten)
  getrauen
  mißtrauen
  vertrauen
verdauen
versauen
verstauen
Vertrauen
die Frauen
die schlauen
(siehe **au**)
die Auen
die Brauen
(siehe **aue**)

auer

das Bauer
  Vogelbauer
der Bauer
Beschauer
  Fleischbeschauer
Brauer
Dauer
Gassenhauer
Hauer (Bergmann)
Hauer (Eberzahn)
Knochenhauer
Lauer
Mauer
sauer
Schauer (Schreck)
Schauer (kurzes Unwetter)
Schauer (Schiffsarbeiter)
Tower
Trauer

auern

dauern (währen)
dauern (leidtun)
  bedauern

kauern
lauern
mauern
  vermauern
  zumauern
schauern
  erschauern
trauern
  betrauern
verbauern
versauern
im genauern
den schlauern
(siehe **au**)
die Bauern
den Beschauern
die sauern
(siehe **auer**)

auf

auf
  darauf
  drauf
  herauf
  hinauf
Gelauf
Gerauf
Geschnauf
glückauf!
Kauf
  Verkauf
Knauf
Lauf (Bewegung)
  Dauerlauf
  Hindernislauf
Lauf (Lauforgan)
  Hinterlauf
  Vorderlauf
Lauf (Verlauf)
  Lebenslauf
  Oberlauf (eines Flusses)
Lauf (einer Schußwaffe)
  Flintenlauf
Verlauf
zuhauf

ich lauf
lauf!
ich sauf
sauf!
(siehe **aufen**)

aufe

Gelaufe
Geraufe
Geschnaufe
Raufe
Schlaufe
Taufe
Traufe
ich laufe
ich taufe
(siehe **aufen**)

aufen

kaufen
  einkaufen
  verkaufen
laufen
  sich belaufen
  hin- und herlaufen
  sich verlaufen
raufen
saufen
  besaufen
  versaufen
schnaufen
  verschnaufen
verlaufen (laufsüchtig)
taufen
die Raufen
die Traufen
(siehe **aufe**)

auge

Auge
Lauge
ich sauge
ich tauge
(siehe **augen**)

127

augen

saugen
taugen
die Augen
die Laugen
(siehe **auge**)

auk

Klamauk
Rabauk'
ich pauk

auke

Mauke
Pauke
Rabauke

aukel

Gegaukel
Schaukel
ich gaukel
ich schaukel

aukeln

gaukeln
schaukeln
den Schaukeln

auken

pauken
die Pauken
die Rabauken

aul

faul
Gaul
Knaul
Kraul
Maul
  Leckermaul

Lügenmaul
Plappermaul
ich jaul
ich kraul
(siehe **aulen**)

aule

die Faule
dem Gaule
(siehe **aul**)
ich graule
ich kraule
ich maule
(siehe **aulen**)

aulen

faulen
  verfaulen
graulen
  vergraulen
jaulen
kraulen
maulen
die Faulen
(siehe **aul**)

aulich

baulich
beschaulich
erbaulich
fraulich
graulich
traulich
verdaulich
vertraulich

aum

Baum
  Purzelbaum
  Tannenbaum
  Weihnachtsbaum
Flaum

geraum
kaum
Raum
   Erdenraum
   Himmelsraum
   Zwischenraum
Saum
Schaum
Traum
   Liebestraum
Zaum

aume

Pflaume
dem Baume
im Raume
eine geraume
(siehe **aum**)

aumel

Gebaumel
Taumel

aumeln

baumeln
taumeln

aumen

anberaumen
Daumen
Gaumen
die Pflaumen

aun

abgehaun
Alaun
braun
Clown
down
Faun
Geraun

Kapaun
traun!
Zaun
die Fraun
den Gaun
(siehe **au**)
kaun
schaun
Vertraun
(siehe **auen**)

aune

Alraune
Daune
Geraune
Kaldaune
Kartaune
Laune
Posaune
am Zaune
der braune
(siehe **aun**)

aunen

ausposaunen
Erstaunen
raunen
staunen
   bestaunen
   erstaunen
den Kapaunen
die braunen
(siehe **aun**)
die Daunen
die Launen
(siehe **aune**)

auner

Brauner
Gauner
Rauner
ein abgehauner
(siehe **auen**)

aunt

ausposaunt
erstaunt
gutgelaunt
er raunt
er staunt
(siehe **aunen**)

aunzen

maunzen
raunzen

aupe

Graupe
Raupe
Staupe

aupeln

graupeln
kaupeln
knaupeln

aupt

(siehe **aubt**)

aurig

schaurig
traurig

aus (auß)

Applaus
aus
  daraus
  heraus
  hinaus
  überaus
  voraus
  woraus
Braus

in Saus und Braus
Daus
  ei der Daus!
drauß'
Flaus
Garaus
Gebraus
Graus
Haus
  Gartenhaus
  Sommerhaus
  Warenhaus
kraus
Laus
Maus
  Fledermaus
  Mickymaus
Reißaus
Schmaus
Strauß
zu Haus
des Gaus
des Himmelsblaus
(siehe **au**)
beschau's!
zerhau's!
(siehe **auen**)

ausch

Bausch
Flausch
Rausch
Tausch
ich lausch
ich plausch
(siehe **auschen**)

ausche

Brausche (Schramme)
Karausche
ich bausche
ich tausche
(siehe **auschen**)

auschen

bauschen
berauschen
lauschen
  belauschen
  erlauschen
plauschen
rauschen
  verrauschen
tauschen
  vertauschen
die Brauschen
die Karauschen
(siehe **ausche**)

auscht

aufgebauscht
berauscht
verrauscht
vertauscht
er lauscht
es rauscht
(siehe **auschen**)

ause

Banause
Brause
Flause
Gebrause
Gesause
Geschmause
Gezause
Jause
Kartause
Klause
Krause
Pause
zu Hause
der krause
(siehe **aus**)
ich hause
ich schmause
(siehe **ausen**)

ausen

Brausen
  Meeresbrausen
  Sturmesbrausen
brausen
  aufbrausen
  erbrausen
Grausen
grausen
hausen
jausen
krausen
lausen
mausen
pausen
Sausen
  Ohrensausen
  Windessausen
sausen
schmausen
  verschmausen
zausen
  zerzausen
die krausen
die Flausen
die Pausen
(siehe **ause**)

ausend

potztausend
tausend
brausend
hausend
schmausend
(siehe **ausen**)

auser

Geknauser
Knauser
Lauser
Mauser
Sauser
ein krauser

ausern

knausern
mausern
den Lausern
den Sausern
(siehe **auser**)

aust

Faust
verlaust
zerzaust
du haust (schlägst)
du schaust
(siehe **auen**)
mich graust
du haust (hausest)
er schmaust
(siehe **ausen**)

aut

abgeflaut
Aeronaut
Argonaut
bebaut
betaut
betraut
Braut
ergraut
Haut
Knockout
Kraut
Laut
laut
Maut
traut
versaut
vertraut
zerkaut
es taut
er schaut
(siehe **auen**)

aute

Flaute
Laute
Raute
Traute (Mut)
ich baute
es taute
(siehe **auen**)
dem Kraute
der Vertraute
der laute
(siehe **aut**)

auten

lauten
die Argonauten
die Getrauten
(siehe **aut**)
die Flauten
den Lauten
(siehe **aute**)

auter

Klabauter
Krauter
lauter (rein)
ein Vertrauter
ein ergrauter
lauter (von laut)
(siehe **aut**)

autsch

autsch!
Couch

auung

Bebauung
Beschauung
Betrauung
Erbauung
Stauung
Trauung
Verdauung

auz

bauz!
Kauz
pardauz!
plauz!
mir graut's
schon taut's
(siehe **auen**)
des Lauts
des Krauts
(siehe **aut**)
ich plauz
ich schnauz
(siehe **auzen**)

auze

Plauze
Schnauze
dem Kauze
ich plauze
ich schnauze
(siehe **auzen**)

auzen

plauzen
  zuplauzen
schnauzen
  anschnauzen
den Schnauzen

av

(siehe **af**)

ave

Enklave
Exklave
Oktave
Sklave
Zuave

ax, axe, axt

(siehe **achs, achse, achst**)

e

Abbé
ABC
ade!
Allee
allez!
Aloe
Armee
Atelier
Attaché
Baiser
Bankier
BGB
Broadway
Budget
Café
Cafetier
Chaussee
Chicorée
Collier
Conférencier
Coupé
Couplet
Croupier
Cutaway
Defilée
Dekolleté
Diner
Dreh
Effet
Entree
Essay
Exposé
Fair play
Faksimile
Fee
Feh
Filet
Frikassee
Gelee

Hautevolee
herrje!
herrjemine!
Hotelier
Idee
je
jemine!
juchhe!
Kaffee
Kanapee
Karree
Klee
Klischee
Komitee
Lee
Livree
Matinee
Metier
Moschee
nee!
Negligé
oje!
ojemine!
Orchidee
Plissee
Portepee
Portier
Premier
Protegé
Püree
Reh
Renommee
Rentier
Resümee
Rommé
Roué
Schnee
See
Separée
Soiree
Souper

in spe
Tee
Tournee
Varieté
Weh
weh
  o weh!
Zeh
geh!
ich steh
(siehe **ehen**)

eb

Cape
Reep
ich leb
ich geb
(siehe **eben**)

ebe

Ephebe
Gewebe
Hebe
Rebe
Schwebe
Strebe
Zibebe
ich hebe
ich strebe
(siehe **eben**)

ebel

Hebel
Knebel
Nebel

ebeln

benebeln
knebeln
vernebeln
den Hebeln

den Knebeln
(siehe **ebel**)

eben

Beben
  Erbeben
beben
  erbeben
sich begeben (hingehen)
sich begeben (ereignen)
eben
  soeben
ergeben (geduldig)
geben
  abgeben
  aufgeben
  begeben
  eingeben
  ergeben
  hingeben
  umgeben
  vergeben
  zugeben
gegeben
  abgegeben
  aufgegeben
  eingegeben
  hingegeben
  zugegeben
heben
  abheben
  aufheben
  beheben
  erheben
  verheben
  überheben
kleben
  ankleben
  bekleben
  verkleben
Leben
leben
  beleben
  erleben
  verleben

neben
  daneben
schweben
  entschweben
Streben
  Bestreben
streben
  erstreben
  widerstreben
umgeben
untergeben
die Epheben
den Reben
(siehe **ebe**)

ebend

bebend
  erbebend
erhebend
  herzerhebend
klebend
lebend
  belebend
schwebend
  entschwebend
strebend
  widerstrebend

ebende

das Belebende
der Gebende
der Strebende
(siehe **ebend**)

ebens

vergebens
zeitlebens
des Lebens
des Strebens
sie erleben's
sie erstreben's
(siehe **eben**)

136

eber

Eber
Geber
Heber
  Wagenheber
Kleber
  Alleskleber
Leber
Streber
Treber
Weber

ebig

langlebig
vierhebig
zielstrebig
geb ich
heb ich
leb ich
(siehe **eben**)

eblich(g)

angeblich
erheblich
  unerheblich
neblig
überheblich
vergeblich

ebne

Ebne
ich ebne
das Gegebne
der Untergebne
(siehe **eben**)

ebnen

ebnen
die Ebnen
die Untergebnen

ebnis

Begebnis
Ergebnis
Erlebnis

ebs

Krebs
ich geb's
ich erleb's
(siehe **eben**)

ebst

nebst
du krebst
du lebst
du strebst
(siehe **eben**)

ebung

Belebung
Bestrebung
Ergebung
Erhebung
Hebung
Strebung
Umgebung
Vergebung

ech

Blech
frech
Pech
ich brech
ich stech
(siehe **echen**)
(dazu **äch**)

eche

Zeche
die Bleche
die freche

ich besteche
ich verspreche
(siehe **echen**)
(dazu **äche**)

echel

Hechel
(dazu **ächel**)

echeln

hecheln
  durchhecheln
(dazu **ächeln**)

echen

bestechen
blechen
brechen
  aufbrechen
  einbrechen
  unterbrechen
  zerbrechen
erfrechen
Gebrechen
gebrechen
radebrechen
Rechen
rechen
sprechen
  besprechen
das Stechen
stechen
  erstechen
Verbrechen
verbrechen
Versprechen
versprechen
zechen
die Zechen
den Blechen
die frechen
(siehe **ech**)
(dazu **ächen**)

echer

Becher
Brecher
. . . brecher
  Bahnbrecher
  Ehebrecher
  Einbrecher
  Friedensbrecher
  Sorgenbrecher
  Wellenbrecher
Sprecher
Stecher
  Kupferstecher
  Silbenstecher
Verbrecher
(dazu **ächer**)

echern

bechern
blechern
den Ehebrechern
den Sprechern
(siehe **echer**)
(dazu **ächern**)

echlich

bestechlich
gebrechlich
unaussprechlich
zerbrechlich
(dazu **ächlich**)

echs (ecks)

ex
Fex
Hex'
Klecks
Komplex
Konnex
konvex
perplex
Reflex

rex
sechs
Sex
des Flecks
des Schrecks
(siehe **eck**)
ich hex
ich klecks
(siehe **echsen**)
(dazu **äcks**)

echse (eckse)

Echse
Flechse
Hexe
sechse
die Fexe
die Kleckse
(siehe **echs**)
ich fexe
ich kleckse
(siehe **echsen**)
(dazu **ächse**)

echsel (ecksel)

Gedrechsel
Wechsel (Bankpapier)
Wechsel (Veränderung)
ich drechsel
ich wechsel
(dazu **äcksel**)

echseln (eckseln)

drechseln
verwechseln
wechseln
den Wechseln

echsen (ecksen)

fexen
hexen
klecksen

den Komplexen
zu sechsen
(siehe **echs**)
die Echsen
den Flechsen
(siehe **echse**)
(dazu **ächsen**)

echsler

Drechsler
Wechsler

echst (eckst)

behext
bekleckst
zu sechst
Text
verhext
verkleckst
er hext
er kleckst
(siehe **echsen**)
du neckst
du schreckst
(siehe **ecken**)
(dazu **ächst**)

echt

bezecht
echt
Gefecht
Geflecht
gerecht
Geschlecht
Hecht
Knecht
kunstgerecht
mundgerecht
Recht
  Menschenrecht
  Völkerrecht
recht
regelrecht

schlecht
Specht
zurecht
er blecht
ihr brecht
er radebrecht
(siehe **echen**)
ich fecht
ich flecht
(siehe **echten**)
(dazu **ächt**)

echte

Flechte
die Rechte (Hand)
ich blechte
ich zechte
(siehe **echen**)
das Echte
die Knechte
die Rechte
(siehe **echt**)
ich fechte
ich flechte
(siehe **echten**)
(dazu **ächte**)

echten

fechten
  verfechten
flechten
  verflechten
knechten
rechten
die Flechten
den Gefechten
die schlechten
(siehe **echt**)
(dazu **ächten**)

echter

Fechter
  Säbelfechter

139

Spiegelfechter
Flechter
Verfechter
ein Bezechter
ein Gerechter
ein schlechter
(siehe **echt**)
(dazu **ächter**)

echtigen

berechtigen
(dazu **ächtigen**)

echtigt

berechtigt
(dazu **ächtigt**)

echtigung

Berechtigung
(dazu **ächtigung**)

echtlich

geschlechtlich
rechtlich
(dazu **ächtlich**)

echtung

Knechtung
Verflechtung
(dazu **ächtung**)

echung

Besprechung
Bestechung
Brechung
Entsprechung
Heiligsprechung
Unterbrechung
Versprechung

echzen

lechzen
(dazu **ächzen**)

eck

Besteck
Deck
Dreck
Eck
Fleck
Geck
Gedeck
Heck
keck
Leck
leck
meck-meck!
Neck
queck
Reck
Scheck
Schneck
Schreck
Shag
Speck
Treck
Verdeck
Versteck
Weck
weg
  hinweg
Zweck
ich deck
ich schreck
ich steck
(siehe **ecken**)
(dazu **äck**)

eckchen

Deckchen
Eckchen
Fleckchen
(dazu **äckchen**)

ecke

Decke
Ecke
Hecke
Quecke
Recke
Schecke
Schnecke
Strecke
Wecke
Zecke
die Flecke
der kecke
(siehe **eck**)
ich beflecke
ich erschrecke
(siehe **ecken**)
(dazu **äcke**)

eckel

Deckel
Teckel
(dazu **äckel**)

ecken

anecken
anstecken
Becken
beflecken
blecken
decken
  bedecken
  entdecken
  verdecken
Flecken
hecken
  aushecken
klecken
lecken
necken
recken
schlecken
schmecken

Schrecken
schrecken
  abschrecken
  erschrecken
Stecken
stecken
  abstecken
  verstecken
strecken
  erstrecken
  niederstrecken
verdrecken
verrecken
verstecken
vollstrecken
wecken
die Ecken
den Gedecken
einen kecken
(siehe **eck**)
die Ecken
den Zwecken
(siehe **ecke**)
(dazu **äcken**)

ecker

Doppeldecker
Entdecker
Erwecker
Gekecker
Geklecker
Gemecker
Geschlecker
Lecker
  Speichellecker
lecker
Schlecker
Stecker
Trecker
Vollstrecker
Wecker
ein lecker
ein kecker
(siehe **eck**)
(dazu **äcker**)

eckern

keckern
kleckern
meckern
schleckern
den Entdeckern
die leckern
(siehe **ecker**)
(dazu **äckern**)

eckig

dreckig
eckig
fleckig
scheckig
speckig
(dazu **äckig**)
leck ich
schmeck ich
(siehe **ecken**)

ecklich

erklecklich
schrecklich

ecks

(siehe **echs**)

eckt

Affekt
angesteckt
Architekt
Aspekt
aufgereckt
aufgeschreckt
aufgeweckt
bedeckt
befleckt
  unbefleckt
besteckt
Defekt

defekt
Dialekt
direkt
Effekt
erschreckt
gedeckt
gescheckt
gesteckt
geweckt
Insekt
Intellekt
Konfekt
Objekt
Präfekt
Projekt
Prospekt
Respekt
Sekt
Subjekt
suspekt
Trajekt
verdreckt
versteckt
vollstreckt
er neckt
es schmeckt
(siehe **ecken**)
(dazu **äckt**)

eckte

Kollekte
Sekte
ich schreckte
ich weckte
(siehe **ecken**)
die Prospekte
der geweckte
(siehe **eckt**)

eckten

die Effekten
die Pandekten
sie deckten
sie schreckten

(siehe **ecken**)
die Architekten
die gescheckten
(siehe **eckt**)

eckung

Auferweckung
Bedeckung
Befleckung
Deckung
Entdeckung
Erweckung
Kopfbedeckung
Vollstreckung

ede

Fehde
Gerede
jede
jedwede
Rede
  Widerrede
Reede
Schwede
stante pede
ich befehde
ich rede
(siehe **eden**)

edel

edel
Wedel

edeln

die Edeln
veredeln
wedeln

eden

befehden
Eden

reden
  anreden
  bereden
  überreden
  verreden
die Fehden
die Reden
(siehe **ede**)

eder

entweder
Feder
jeder
jedweder
Katheder
Leder
Reeder
weder
Zeder

edig

ledig
Venedig

edigen

sich entledigen
erledigen
predigen
den ledigen

edigt

erledigt
Predigt
er entledigt (sich)
er predigt
(siehe **edigen**)

eff

Betreff
Chef
aus dem Effeff

Reff
Relief
Treff
ich reff
ich treff
(dazu **äff**)

effe

Neffe
ich reffe
ich treffe
(siehe **effen**)
(dazu **äffe**)

effen

reffen
Treffen
im Hintertreffen
treffen
antreffen
übertreffen
zusammentreffen
die Neffen
(dazu **äffen**)

effer

Pfeffer
Treffer
(dazu **äffer**)

eft

Heft
ihr trefft
(siehe **effen**)
(dazu **äft**)

eften

heften
sie refften
(dazu **äften**)

144

eftig

deftig
heftig
(dazu **äftig**)

eftigen

die deftigen
die heftigen
(dazu **äftigen**)

eg

Beleg
Kolleg
Privileg
Steg
Weg
ich heg
ich leg
(siehe **egen**)

ege

Gehege
Kollege
Pflege
rege
zuwege
die Belege
die Wege
(siehe **eg**)
ich pflege
ich überlege
(siehe **egen**)

egel

Egel
Flegel
Kegel
kregel
Pegel
Regel
Schlegel
Segel

egeln

kegeln
regeln
segeln
den Flegeln
die Regeln
(siehe **egel**)

egen

allerwegen
Bregen
Degen
entlegen
fegen
gegen
  dagegen
  entgegen
  hingegen
gelegen
  angelegen
  ungelegen
hegen
legen
  belegen
  (etwas) verlegen
  zerlegen
  zulegen
pflegen
Regen
regen
  anregen
  erregen
Segen
überlegen (nachdenken)
überlegen (erhaben)
unterlegen
verlegen (schüchtern)
verwegen
wegen
  deswegen
  meinetwegen
weswegen
widerlegen
den Stegen

den Wegen
(siehe **eg**)
die Kollegen
einen regen
(siehe **ege**)

egend

erregend
fegend
Gegend
überlegend
(siehe **egen**)

eger

Erreger
Feger
Heger
Kartenleger
Minenleger
Neger
Pfleger
Verleger
  Bierverleger
  Buchverleger
ein reger

egge

Egge
Segge

eglich

beweglich
  unbeweglich
jeglich
pfleglich
unwiderleglich

egnen

begegnen
entgegnen
regnen

145

segnen
die Unterlegnen
die Verwegnen
(siehe **egen**)

egner

Gegner
ein entlegner
ein verwegner
(siehe **egen**)

egnung

Begegnung
Entgegnung
Segnung

egs

keineswegs
unterwegs
des Kollegs
des Stegs
(siehe **eg**)
ich pfleg's
ich leg's
(siehe **egen**)

egt

angeregt
(gut) aufgelegt
aufgeregt
bewegt
  schmerzbewegt
erregt
gefegt
gepflegt
  ungepflegt
überlegt
  unüberlegt
unentwegt
er hegt
er pflegt
(siehe **egen**)

egung

Belegung
Bewegung
  Handbewegung
Hegung
Regung
  Erregung
  Seelenregung
Überlegung
Verpflegung
Zerlegung

ehe

Ehe
ehe
Schlehe
Wehe
wehe!
Zehe
die Rehe
ich gehe
ich sehe
(siehe **ehen**)

ehen

(etwas) andrehen
angesehen
Ansehen
Aufsehen
begehen
drehen
  andrehen
  aufdrehen
  beidrehen
Einsehen
flehen
  anflehen
Geschehen
geschehen
gehen
  eingehen
  entgehen
  hintergehen

übergehen
untergehen
vergehen
Lehen
nachsehen (Nachsicht üben)
sehen
  absehen
  ansehen
  besehen
  einsehen
  übersehen
  versehen
  wiedersehen
stehen
  bestehen
  entstehen
  erstehen
  nachstehen
  überstehen
  widerstehen
unbesehen
sich unterstehen
Vergehen
sich vergehen
sich versehen (irren)
versehen (mit etwas)
Verstehen
verstehen
wehen
  verwehen
  vorüberwehen
Wiedersehen
Wohlergehen
die Alleen
den Rehen
(siehe **e**)
die Ehen
die Wehen
den Zehen
(siehe **ehe**)

ehends

durchgehends
zusehends

eher

Amtsvorsteher
Dreher
eher
Geher
Geisterseher
Pythagoreer
Seher
Steher
Verdreher
  Wortverdreher

ehung

Auferstehung
Begehung
Drehung
Entstehung
Verdrehung
Verwehung

ei

Abtei
Akelei
Arz(e)nei
Bastei
bei
  anbei
  dabei
  herbei
  hierbei
  vorbei
  wobei
Blei
Brei
bye, bye!
dideldumdei!
drei
Ei
  Entenei
  Kuckucksei
ei!
entzwei
frei
  einwandfrei

sorgenfrei
vogelfrei
Gedeih
Geschrei
Geweih
juchhei!
Kanzlei
Kartei
Klerisei
Konterfei
Lei (Fels)
  Lorelei
... lei
  Anpöbelei
  Bettelei
  Deutelei
  Dudelei
  Eifersüchtelei
  Einsiedelei
  Eselei
  Faselei
  Fiedelei
  Flegelei
  Frömmelei
  Gaukelei
  Gaunerei
  Grübelei
  Heuchelei
  Hochstapelei
  Kraxelei
  Künstelei
  Liebelei
  Lobhudelei
  Lümmelei
  Mäkelei
  Metzelei
  Mogelei
  Pinselei
  Prügelei
  Rüpelei
  Schmeichelei
  Schmuggelei
  Schnäbelei
  Schwindelei
  Spöttelei
  Stichelei

Sudelei
Tändelei
Teufelei
Tölpelei
Trödelei
Windbeutelei
... lei (Art)
  allerlei
  dreierlei
  einerlei
  mancherlei
  vielerlei
  zweierlei
Litanei
Nackedei
Narretei
Papagei
Partei
Polizei
... rei
  Abgötterei
  Alberei
  Aufschneiderei
  Bäckerei
  Barbarei
  Betrügerei
  Bildhauerei
  Brennerei
  Druckerei
  Effekthascherei
  Falschmünzerei
  Färberei
  Faulenzerei
  Fischerei
  Försterei
  Fresserei
  Frömmelei
  Gärtnerei
  Gaunerei
  Hauerei
  Hexerei
  Jägerei
  Juristerei
  Keilerei
  Ketzerei
  Kinderei

Klatscherei
Klexerei
Klimperei
Knauserei
Kocherei
Konditorei
Kriecherei
Lauferei
Leckerei
Liebhaberei
Lumperei
Malerei
Meierei
Meuterei
Molkerei
Möncherei
Näscherei
Neckerei
Pfuscherei
Plackerei
Plauderei
Prahlerei
Prasserei
Prellerei
Quälerei
Raserei
Rauferei
Reederei
Reimerei
Reiterei
Sämerei
Schäkerei
Schererei
Schinderei
Schlägerei
Schlemmerei
Schmauserei
Schmuserei
Schneiderei
Schnitzerei
Schnurrpfeiferei
Schreiberei
Schreinerei
Schufterei
Schulmeisterei
Schurkerei

Schwärmerei
Schweinerei
Schwelgerei
Sklaverei
Sophisterei
Spielerei
Spinnerei
Spitzbüberei
Stänkerei
Stickerei
Streiterei
Verräterei
Vielweiberei
Vielwisserei
Völlerei
Wäscherei
Wichtigtuerei
Wühlerei
Zänkerei
Zauberei
Ziererei
Sakristei
Salbei
Schalmei
Schlei
Schrei
es sei!
Staffelei
tandaradei!
Tyrannei
Verleih
Vogtei
Weih
Wüstenei
zwei
an der Reih'
ich schrei
verzeih!
(siehe **eien**)
(dazu **ai**)

eib

Leib
Verbleib
Weib

Zeitvertreib
ich bleib
schreib!
(siehe **eiben**)
(dazu **aib**)

eibchen

Leibchen
Scheibchen
Weibchen

eibe

beileibe!
Bleibe
Eibe
Geschreibe
Reibe
Scheibe
dem Leibe
dem Weibe
(siehe **eib**)
ich reibe
ich treibe
(siehe **eiben**)
(dazu **aibe**)

eiben

beweiben
bleiben
   übrigbleiben
   unterbleiben
   verbleiben
   zurückbleiben
einverleiben
entleiben
reiben
Schreiben
schreiben
   beschreiben
   unterschreiben
   verschreiben
Treiben
   Faschingstreiben

Kesseltreiben
treiben
   betreiben
   hintertreiben
   übertreiben
   vertreiben
die Reiben
den Scheiben
(siehe **eibe**)

eiber

Kleiber
Schreiber
Treiber
die Leiber
die Weiber
(siehe **eib**)

eiblich

leiblich
unausbleiblich
unbeschreiblich
weiblich

eibsel

Geschreibsel
Überbleibsel

eibt

beleibt
beweibt
er betreibt
er schreibt
(siehe **eiben**)

eibung

Beschreibung
Einverleibung
Entleibung
Hintertreibung
Reibung

Schreibung
  Umschreibung
  Verschreibung
Vertreibung

ich erreiche
ich erweiche
ich schleiche
(siehe **eichen**)

eich

Bereich
bleich
Deich
Geseich
gleich (gleichend)
  deckungsgleich
  engelgleich
  zugleich
gleich (sofort)
  sogleich
Reich
reich
. . . reich
  folgenreich
  kinderreich
  segensreich
  wasserreich
Scheich
Streich
  Backenstreich
  Bubenstreich
  Zapfenstreich
Teich
Vergleich
weich
(dazu **aich**)

eiche

Bleiche
Blindschleiche
Eiche
Leiche
Speiche
Weiche (Gleisgabelung)
Weiche (Körperteil)
die Teiche
die engelsgleiche
(siehe **eich**)

eichel

Eichel
Geschmeichel
Gestreichel
Speichel

eicheln

schmeicheln
streicheln
den Eicheln

eichen

bleichen
  erbleichen
eichen
eindeichen
einweichen
erweichen
gleichen
  vergleichen
. . . gleichen
  desgleichen
  ohnegleichen
  sondergleichen
reichen
  erreichen
schleichen
streichen
  anstreichen
  bestreichen
  unterstreichen
  verstreichen
weichen
  entweichen
Zeichen
  Fragezeichen
  Lebenszeichen
  Lesezeichen

das Breichen
das Eichen
(siehe **ei**)
den Deichen
die Reichen
(siehe **eich**)
die Eichen
den Speichen
(siehe **eiche**)
(dazu **aichen**)

eicher

Fußabstreicher
Gleicher
Schleicher
Seicher
Speicher
Streicher
bleicher
ein gleicher
ein Reicher
reicher
(siehe **eich**)

eichern

bereichern
speichern
den Schleichern
den Speichern
den Streichern
(siehe **eicher**)

eichlich

reichlich
unausweichlich
unvergleichlich
unzureichlich
weichlich

eichnis

Gleichnis
Verzeichnis

eicht

eingedeicht
gebleicht
geeicht
leicht
seicht
unerreicht
er schleicht
er vergleicht
(siehe **eichen**)
(dazu **aicht**)

eichte

Beichte
ich erbleichte
es reichte
(siehe **eichen**)
die leichte
die unerreichte
(siehe **eicht**)

eichung

Eichung
Erreichung
Erweichung
Gleichung
Streichung
Überreichung
Unterstreichung
Vergleichung

eid

(siehe **eit**)

eide

beide
Eingeweide
Geschmeide
Getreide
der Heide
die Heide

Kreide
Scheide
  Degenscheide
  Wetterscheide
Schneide
Seide
Weide (Baum)
Weide (Wiese)
dem Kleide
dem Neide
(siehe **eit**)
ich leide
ich meide
(siehe **eiden**)

eiden

ankreiden
beeiden
sich bescheiden
bescheiden
  unbescheiden
entscheiden
kleiden
  ankleiden
  bekleiden
  entkleiden
  verkleiden
Leiden
leiden
  erleiden
meiden
  vermeiden
neiden
  beneiden
Scheiden
scheiden
schneiden
  beschneiden
  verschneiden
  zerschneiden
seiden
unterscheiden
verleiden
verscheiden
weiden

den Eiden
den Entscheiden
(siehe **eit**)
die Heiden
die Weiden
(siehe **eide**)
(dazu **aiden**)

eider

beider
Beutelschneider
Halsabschneider
Hungerleider
leider
Neider
Schneider
die Kleider

eidern

schneidern
den Kleidern
den Neidern
(siehe **eider**)

eidig(ch)

geschmeidig
kreidig
leidig
meineidig
mitleidig
schneidig
seidig
wehleidig
zweischneidig
leid ich
scheid ich
(siehe **eiden**)

eidigen

beleidigen
vereidigen
verteidigen

153

die leidigen
die schneidigen
(siehe **eidig**)

eidigt

beleidigt
er vereidigt
er verteidigt

eidigung

Beleidigung
Vereidigung
Verteidigung

eidlich

eidlich
leidlich
  unleidlich
unvermeidlich
weidlich

eidung

Beeidung
Bekleidung
Beschneidung
Entkleidung
Entscheidung
Kleidung
Scheidung
Überschneidung
Unterscheidung
Verkleidung
Vermeidung

eie

Kleie
Reihe
Schleie
Weihe (Fest)
Weihe (Vogel)
der Freie

die Schreie
(siehe **ei**)
ich weihe
ich zeihe
(siehe **eien**)
(dazu **aie**)

eien

befreien
benedeien
entzweien
feien
freien
Gedeihen
gedeihen
  angedeihen (lassen)
kasteien
konterfeien
leihen
  beleihen
  entleihen
  verleihen
prophezeien
Reihen
reihen
  aneinanderreihen
  aufreihen
schneien
  einschneien
schreien
  anschreien
  beschreien
  verschreien
sie seien
seihen
speien
vermaledeien
verzeihen
weihen
  entweihen
zeihen
die Liebeleien
zu zweien
(siehe **ei**)
die Reihen

die Weihen
(siehe **eie**)
(dazu **aien**)

eiend

befreiend
feuerspeiend
himmelschreiend
schreiend
seiend
verzeihend
(siehe **eien**)

eier

Befreier
Biedermeier
Dreier
Feier
Freier
Geier
Geleier
Leier
Meier
Reiher
Schleier
Schreier
Verleiher
Wasserspeier
Weiher
Zweier
die Eier
freier
(siehe **ei**)
(dazu **aier**)

eiern

bleiern
entschleiern
feiern
lackmeiern
leiern
verschleiern
den Eiern

den freiern
(siehe **ei**)
den Befreiern
die Feiern
(siehe **eier**)

eif

Gekeif
Greif
Reif
reif
Schweif
steif
Streif
Unterschleif
ich kneif
ich pfeif
(siehe **eifen**)

eifchen

Pfeifchen
Schleifchen
Schweifchen
Streifchen

eife

Gekeife
Gepfeife
Pfeife
Reife
Schleife
   Straßenschleife
Seife
Streife
Umhergeschweife
die reife
die Schweife
die Unterschleife
(siehe **eif**)
ich begreife
ich kneife
ich schweife
(siehe **eifen**)

eifen

einseifen
greifen
  angreifen
  begreifen
  ergreifen
  sich vergreifen
keifen
kneifen
  abkneifen
  auskneifen
  verkneifen
pfeifen
  verpfeifen
Reifen
reifen
schleifen
  abschleifen
schweifen
  ausschweifen
steifen
  versteifen
Streifen
streifen
  abstreifen
den Greifen
die reifen
(siehe **eif**)
die Pfeifen
den Schleifen
(siehe **eife**)

eifend

ergreifend
pfeifend
schweifend
(siehe **eifen**)

eifer

Angreifer
Eifer
Geifer
Greifer

Kneifer
Pfeifer
  Regenpfeifer
Schleifer
  Scherenschleifer
reifer
steifer
(siehe **eif**)

eifern

eifern
  ereifern
geifern
den Angreifern
den Pfeifern
die reifern
(siehe **eifer**)

eifig

seifig
streifig
weitschweifig

eiflich

reiflich
unbegreiflich

eifung

Bereifung
Ergreifung
Schleifung

eig

feig
Fingerzeig
Gezweig
Steig
  Bürgersteig
  Felsensteig
Teig
  Kuchenteig
  Sauerteig

156

Zweig
ich neig
ich steig
(siehe **eigen**)

eige

Anzeige
Feige
feige
Geige
Gezweige
Neige
Steige
die Zweige
der Feige
(siehe **eig**)
ich schweige
ich zeige
(siehe **eigen**)

eigen

abzweigen
anzeigen
eigen
zu Eigen
geigen
leibeigen
neigen
  verneigen
  zuneigen
Reigen
Schweigen
schweigen
  verschweigen
steigen
  absteigen
  ansteigen
  aussteigen
  besteigen
  einsteigen
  ersteigen
  versteigen
  zusteigen
verzweigen

zeigen
  bezeigen
den Zweigen
die feigen
(siehe **eig**)
die Geigen
den Steigen
(siehe **eige**)

eiger

Bergbesteiger
Geiger
Lokalanzeiger
Schweiger
Seiger
Steiger
Zeiger
ein feiger

eigerer

Dienstverweigerer
Versteigerer

eigern

steigern
versteigern
weigern
  verweigern
den Geigern
den Zeigern
(siehe **eiger**)

eigerung

Steigerung
Versteigerung
Weigerung

eigung

Besteigung
  Erstbesteigung
Bezeigung

157

Ehrenbezeigung
Gunstbezeigung
Ersteigung
Neigung
Steigung
Verneigung
Verzweigung
Zuneigung

eihe

(siehe **eien**)

eihung

(siehe **eiung**)

eik

gentlemanlike
Scheik (Scheich)
Streik

eil

Beil
feil
  wohlfeil
geil
Heil
  Seelenheil
heil
heil!
Keil
Pfeil
Seil
steil
Teil
  Abteil
  Gegenteil
  Gewinnanteil
  Hinterteil
Vorurteil
weil
. . . weil
  alldieweil

158

alleweil
dieweil
in Eil'
eine Weil'
(siehe **eile**)
ich heil
ich verweil
(siehe **eilen**)

eiland

Eiland
Freiland
Heiland
weiland

eilbar

heilbar
teilbar

eilchen

Seilchen
Teilchen
Veilchen
Weilchen
Zeilchen

eile

Eile
  mit Windeseile
Feile
Geile
Keile
Meile
mittlerweile
Weile
  Langeweile
Zeile
  Straßenzeile
die Pfeile
die steile
(siehe **eil**)
ich heile

ich verweile
(siehe **eilen**)

eilen

eilen
  beeilen
  enteilen
  ereilen
feilen
heilen
  verheilen
keilen
  einkeilen
  verkeilen
peilen
  anpeilen
seilen
  abseilen
  anseilen
teilen
  erteilen
  verteilen
  zuteilen
weilen
  verweilen
. . . weilen
  bisweilen
  einstweilen
  zuweilen
den Pfeilen
die steilen
(siehe **eil**)
die Meilen
die Zeilen
(siehe **eile**)

eiler

Keiler
Meiler
Pfeiler
Seiler
Teiler
Verteiler
Weiler

steiler
ein wohlfeiler
(siehe **eil**)

eilich(g)

eilig
einstweilig
freilich
gedeihlich
gegenteilig
heilig
parteilich
polizeilich
verzeihlich
  unverzeihlich

eiligen

beteiligen
heiligen
die Heiligen
die eiligen
(siehe **eilig**)

eille (äje)

Reveille
Bouteille

eils

teils
  einesteils
  größtenteils
  meistenteils
des Pfeils
weil's
(siehe **eil**)
ich heil's
ich teil's
(siehe **eilen**)

eilung

Abteilung
Heilung

159

Peilung
Teilung
  Geldzuteilung
  Gradeinteilung
  Verteilung
Übereilung

eim

beim
Feim
geheim
  insgeheim
Heim
heim
  daheim
Keim
Leim
Reim
Schleim
Seim
  Honigseim
ich leim
ich reim
(siehe **eimen**)

eimen

Feimen
keimen
leimen
reimen
verschleimen
den Keimen
die geheimen
(siehe **eim**)

ein

allein
Bein
  Elfenbein
  Nasenbein
  Schlüsselbein
  Überbein
dein

drein
... drein
  hinterdrein
  obendrein
ein
... ein
  darein
  herein
  hinein
  querfeldein
fein
Gebein
gemein (gemeinsam)
  allgemein
  handgemein
  insgemein
  ungemein
gemein (schlecht)
  hundsgemein
Gestein
Freund Hein
kein
klein
  kurz und klein
Latein
  Jägerlatein
... lein
  Bäuerlein
  Kämmerlein
  Mütterlein
  Schneiderlein
  Töchterlein
  Vögelein
mein
nein!
Pein
  Höllenpein
  Seelenpein
rein
Rhein
Schein (Glanz)
  Abendschein
  Augenschein
  Dämmerschein
  Lampenschein
  Mondenschein

Sonnenschein
Sternenschein
Widerschein
Schein (Papier)
Führerschein
Totenschein
Schrein
Totenschrein
das Schrein
Schwein
Stachelschwein
das Sein
Glücklichsein
Müdesein
Seligsein
Tätigsein
sein (Hilfszeitwort)
sein (Fürwort)
Stein
Edelstein
Leichenstein
Meilenstein
Opferstein
überein (-kommen)
Verein
Wein
Zipperlein
die Kinderein
zu zwein
(siehe ei)
benedein
befrein
Reihn
weihn
(siehe eien)
ich erschein
ich mein
(siehe einen)
(dazu ain)

einchen

Beinchen
Kleinchen
Schweinchen
Sonnenscheinchen

Steinchen
Weinchen

eind

(siehe eint)

einde

Gemeinde
die Feinde
ich eingemeinde
ich verfeinde

einden

eingemeinden
verfeinden
den Feinden
die Gemeinden

eine

Gemeine (Gemeinde)
Leine
die Beine
das Deine
die Feine
der Gemeine
die Kleine
zum Scheine
ins reine
eine
keine
(siehe ein)
ich meine
ich weine
(siehe einen)
(dazu aine)

einen

einen
vereinen
greinen
Leinen
leinen

161

meinen
vermeinen
scheinen (einen Schein geben)
  bescheinen
  erscheinen
scheinen (den Anschein geben)
verneinen
versteinen
weinen
  beweinen
die Leinen
die Einen
die Deinen
die Meinen
im reinen
einen
keinen
seinen
(siehe **ein**)
(dazu **ainen**)

einer

Einer
Greiner
Heiner
Lateiner
Verneiner
Vierbeiner
einer
keiner
kleiner
(siehe **ein**)
(dazu **ainer**)

einern

beinern
steinern
verallgemeinern
verfeinern
versteinern
zerkleinern
die feinern
die gemeinern
(siehe **ein**)

einert

verallgemeinert
verfeinert
versteinert
zerkleinert

einerung

Verallgemeinerung
Verfeinerung
Versteinerung
Zerkleinerung

eines

des Beines
etwas Feines
keines
(voll süßen) Weines
(siehe **ein**)
(dazu **aines**)

einheit

Allgemeinheit
Einheit
Feinheit
Gemeinheit
Reinheit

einig

alleinig
bockbeinig
einig
  uneinig
fadenscheinig
langbeinig
steinig

einige

einige
das Deinige
das Meinige
das Seinige

der steinige
(siehe **einig**)
ich peinige
ich reinige
(siehe **einigen**)

einigen

beaugenscheinigen
bescheinigen
einigen
reinigen
  bereinigen
steinigen
vereinigen
die einigen
die steinigen
(siehe **einig**)
die Deinigen
die Meinigen
(siehe **einige**)

einigung

Bescheinigung
Einigung
Peinigung
Reinigung
Steinigung
Vereinigung

einlich

augenscheinlich
kleinlich
peinlich
reinlich
wahrscheinlich
  unwahrscheinlich

eins

Einmaleins
des Scheins
eins
keins

wie mein's
(siehe **ein**)
ich mein's
ich vernein's
(siehe **einen**)
(dazu **ains**)

einsam

einsam
gemeinsam

einst

einst
du weinst
(siehe **einen**)

eint

beweint
Feind
feind
gutgemeint
vereint
versteint
verweint
er greint
es scheint
(siehe **einen**)

eint (äng)

(siehe **ain**)

einung

Beweinung
Erscheinung
Meinung
Verneinung

eirat

Beirat
Heirat
Kanzleirat

163

eis (eiß)

Beweis
Edelweiß
Eis
Erweis
Fleiß
Gegleiß
Geheiß
Geiß
Geleis
Geschmeiß
Gleis
Gneis
Greis
   Dattergreis
   Jubelgreis
heiß
Kreis
   Jahreskreis
   Wendekreis
   Zauberkreis
Leis (Lied)
leis
Naseweis
naseweis
Paradeis
Preis
   Ehrenpreis
   Siegerpreis
das Reis
der Reis
Schweiß
sei's
solcherweis
Steiß
Verschleiß
Verweis
weis (machen)
weiß
ich weiß
so sei's!
ich verzeih's
(siehe **eien**)
die Reis'
die Speis'

(siehe **eise**)
ich erweis
ich verreis
(siehe **eisen**)
ich beiß
ich heiß
(siehe **eißen**)
(dazu **ais**)

eisch

Fleisch
Gekreisch
ich heisch
ich kreisch
(siehe **eischen**)
(dazu **aisch**)

eischen

erheischen
heischen
kreischen
zerfleischen
(dazu **aischen**)

eischt

eingefleischt
es erheischt
er kreischt
(siehe **eischen**)

eise

Ameise
Geleise
leise
Meise
Reise
   Auslandsreise
   Deutschlandreise
   Hochzeitsreise
   Sommerreise
   Winterreise
Schneise

Speise
  Götterspeise
  Himmelsspeise
  Kinderspeise
Weise (Art)
  Arbeitsweise
  Handlungsweise
  Lebensweise
Weise (Melodie)
der Weise
weise
. . . weise
  dummerweise
  solcherweise
  stellenweise
am Eise
die Gleise
zum Preise
(siehe **eis**)
ich preise
ich reise
(siehe **eisen**)
(dazu **aise**)

eiße

die Edelweiße
dem Fleiße
im Schweiße
der heiße
der weiße
(siehe **eis**)
ich beiße
ich reiße
(siehe **eißen**)

eisel

Geisel
Kreisel
Weisel

eißel

Geißel
Meißel

eiseln

kreiseln
den Geiseln
den Meiseln

eißeln

geißeln
meißeln
die Geißeln
den Meißeln

eisen

Eisen
eisen
entgleisen
kreisen
  einkreisen
  umkreisen
preisen
  lobpreisen
reisen
  verreisen
speisen
  verspeisen
weisen
  abweisen
  anweisen
  beweisen
  überweisen
  unterweisen
  verweisen
vereisen
vergreisen
den Weisen
die leisen
(siehe **eis**)
(dazu **aisen**)

eißen

befleißen
beißen
  verbeißen

zerbeißen
entsteißen
gleißen
heißen
kreißen
reißen
  abreißen
  aufreißen
  hinreißen
  umreißen
  zerreißen
schleißen
  verschleißen
  zerschleißen
schmeißen
  hinschmeißen
  verschmeißen
  zerschmeißen
schweißen
  zusammenschweißen
verheißen
verreißen (schlechtmachen)
weißen
den Geißen
die heißen
(siehe **eis**)

eisend

beweisend
kreisend
preisend
  lobpreisend
weisend
  richtungweisend
  verweisend
(siehe **eisen**)

eißend

beißend
gleißend
glückverheißend
reißend
(siehe **eißen**)

166

eisende

das Beweisende
der Lobpreisende
der Reisende
der Speisende
(siehe **eisen**)

eißende

das Gleißende
das Glückverheißende
der reißende
(siehe **eißen**)

eiser

Geiser
heiser
Weiser (Zeiger)
die Reiser
Weltbereiser
ein naseweiser
(siehe **eis**)
leiser
weiser
(siehe **eise**)
(dazu **aiser**)

eißer

Beißer
  Bullenbeißer
Hosenscheißer
Possenreißer
Reißer
Schweißer
heißer
ein weißer
(siehe **eis**)

eisern

eisern
den Reisern
die leisern

die weisern
(siehe **eise**)
den Wegweisern
die heisern
(siehe **eiser**)

eißern

die heißern
die weißern
(siehe **eis**)
den Possenreißern
den Schweißern
(siehe **eißer**)

eisig(ch)

doppelgleisig
eisig
Reisig
Zeisig
reis ich
speis ich
(siehe **eisen**)

eißig(ch)

bärbeißig
dreißig
fleißig
schweißig
beiß ich
heiß ich
(siehe **eißen**)

eislich

erweislich
preislich
weislich
wohlweislich

eist (eißt)

dreist
entgleist

feist
Geist
geschweißt
meist
  zumeist
vereist
vergreist
verreist
verschweißt
weitgereist
zugereist
du weißt (von weißen)
du weißt (von wissen)
du schreist
du verzeihst
(siehe **eien**)
er kreist
er speist
(siehe **eisen**)
er heißt
er beißt
(siehe **eißen**)
(dazu **aist**)

eiste (eißte)

Leiste
ich speiste
ich verreiste
(siehe **eisen**)
ich schweißte
ich weißte
(siehe **eißen**)
im Geiste
der dreiste
das meiste
(siehe **eist**)
ich erdreiste
ich leiste
(siehe **eisten**)

eisten (eißten)

erdreisten
leisten
die Leisten

sie kreisten
sie speisten
(siehe **eisen**)
sie schweißten
sie weißten
(siehe **eißen**)
am meisten
die weitgereisten
(siehe **eist**)

eister

Kleister
koppheister
Meister
  Bürgermeister
  Kellermeister
  Kerkermeister
die Geister
ein feister
ein zugereister
(siehe **eist**)

eistern

begeistern
geistern
kleistern
meistern
den Geistern
den Meistern
(siehe **eister**)

eistert

begeistert
entgeistert
verkleistert
er geistert
er meistert
(siehe **eistern**)

eisung

Lobpreisung
Speisung

Überweisung
Umkreisung
  Erdumkreisung
Unterweisung
Vergreisung
Weisung

eißung

Schweißung
Verheißung
Zerreißung

eit

all right!
befreit
benedeit
bereit
Bescheid
breit
  weit und breit
Copyright
Eid
entzweit
gefeit
Geleit
Geschmeid'
. . . heit
  Abwesenheit
  Angelegenheit
  Befangenheit
  Begebenheit
  Belesenheit
  Bescheidenheit
  Besonderheit
  Besonnenheit
  Christenheit
  Dunkelheit
  Durchtriebenheit
  Einzelheit
  Gegebenheit
  Gelegenheit
  Sicherheit
  Verborgenheit
  Verbundenheit

Vergangenheit
Verlegenheit
Verlogenheit
Vermessenheit
Zufriedenheit
insonderheit
. . . keit
  Artigkeit
  Bangigkeit
  Behendigkeit
  Bequemlichkeit
  Beständigkeit
  Billigkeit
  Dämlichkeit
  Dreistigkeit
  Einigkeit
  Einsamkeit
  Eitelkeit
  Emsigkeit
  Ewigkeit
  Fertigkeit
  Festigkeit
  Feuchtigkeit
  Findigkeit
  Flüssigkeit
  Frömmigkeit
  Geistlichkeit
  Gelehrsamkeit
  Genauigkeit
  Gerechtigkeit
  Geschicklichkeit
  Geschwindigkeit
  Gewissenhaftigkeit
  Gottlosigkeit
  Heiligkeit
  Heiterkeit
  Helligkeit
  Herrlichkeit
  Kleinigkeit
  Leichtigkeit
  Müdigkeit
  Neuigkeit
  Nichtigkeit
  Obrigkeit
  Persönlichkeit
  Sauberkeit

Schlechtigkeit
Schnelligkeit
Schuldigkeit
Schwierigkeit
Sorglosigkeit
Sprödigkeit
Unendlichkeit
Vertraulichkeit
meine Wenigkeit
Zwistigkeit
Kleid
Leid
leid
Neid
Scheit
Schneid
ihr seid
seit
Streit
vermaledeit
verschneit
weit
Zeit
. . . zeit
  jederzeit
  seinerzeit
zu zweit
es schneit
er schreit
(siehe **eien**)
ich leid
ich schneid
(siehe **eiden**)
ich bereit
ich streit
(siehe **eiten**)
(dazu **aid**)

eite

beiseite
Breite
  um Haaresbreite
Freite
Geleite
Pleite

pleite
Seite
Weite
der zweite
ich freite
ich prophezeite
(siehe **eien**)
im Streite
der gescheite
(siehe **eit**)
ich begleite
ich reite
(siehe **eiten**)
(dazu **aite**)

eitel

Beitel
eitel
Scheitel

eiteln

scheiteln
vereiteln
den Scheiteln
die eiteln

eiten

ausbreiten
beizeiten
bereiten
  vorbereiten
bestreiten
die Gezeiten
gleiten
  entgleiten
  vorübergleiten
leiten
  geleiten
  verleiten
reiten
schreiten
  beschreiten
  einschreiten

überschreiten
streiten
  bestreiten
verbreiten
weiten
  ausweiten
zuzeiten
sie freiten
sie weihten
(siehe **eien**)
die Persönlichkeiten
die gescheiten
(siehe **eit**)
auf seiten
die Weiten
(siehe **eite**)
(dazu **aiten**)

eiter

Außenseiter
Begleiter
Bereiter
Blitzableiter
Eiter
Gefreiter
heiter
der Leiter
  Anstaltsleiter
  Kursusleiter
die Leiter
  Himmelsleiter
  Treppenleiter
Reiter
  Herrenreiter
  Paragraphenreiter
  Prinzipienreiter
  Sonntagsreiter
  Spitzenreiter
Streiter
Wegbereiter
breiter
ein vermaledeiter
weiter
ein zweiter
(siehe **eit**)

170

eitern

eitern
erheitern
erweitern
scheitern
verbreitern
einen gescheitern
des weitern
(siehe **eit**)
den Leitern
die Leitern
(siehe **eiter**)

eitert

erheitert
erweitert
gescheitert
verbreitert
vereitert
er erheitert
er erweitert
(siehe **eitern**)

eiterung

Eiterung
Erheiterung
Erweiterung
Verbreiterung
Weiterung

eitet

abgeleitet
ausgebreitet
ausgeweitet
begleitet
hingebreitet
verbreitet
weitverbreitet
er leitet
er schreitet
verleitet
(siehe **eiten**)

eitig(ch)

anderweitig
doppelseitig
streitig
unstreitig
zeitig
bereit ich
streit ich
(siehe **eiten**)

eitigen

beseitigen
zeitigen
die anderweitigen
die zeitigen
(siehe **eitig**)

eitlich

einheitlich
freiheitlich
hochzeitlich
obrigkeitlich
seitlich
zeitlich

eits

(siehe **eiz**)

eitung

Aufarbeitung
Ausarbeitung
Begleitung
Bereitung
Teebereitung
Vorbereitung
Zubereitung
Leitung
Überleitung
Verbreitung
Weitung
Zeitung

eiung

Aneinanderreihung
Befreiung
Beleihung
Benedeiung
Entweihung
Entzweiung
Feiung
Kasteiung
Parteiung
Prophezeiung
Verleihung
Verzeihung

eiz

bereits
Geiz
Gespreiz
Reiz
Schweiz
ihr seid's
. . . seits
  allerseits
  beiderseits
  ihrerseits
  meinerseits
nichts Gescheits
des Kleids
des Streits
(siehe **eit**)

eizen

beizen
geizen
heizen
reizen
spreizen
Weizen

eizend

beizend
reizend
(siehe **eizen**)

eizer

Heizer
Schweizer

eizt

gebeizt
geheizt
gereizt
gespreizt
er geizt
er reizt
(siehe **eizen**)

eizung

Heizung
Reizung
Spreizung

ek

Beefsteak
Bibliothek
Hypothek
Kartothek
Pinakothek

eke

Apotheke
Kopeke
Scharteke
Theke

ekel

Ekel
Gerekel
Menetekel

ekeln

ekeln
rekeln

ĕkt, ĕkte, ĕkten

(siehe **eckt, eckte, eckten**)

ektisch

dialektisch
eklektisch
hektisch

ektor

Detektor
Direktor
Hektor
Inspektor
Korrektor
Lektor
Protektor
Rektor
Sektor
Spiritus rektor

el

Archipel
Befehl
Cocktail
Fehl
fehl
fidel
Gasel
gehl
Hehl
Israel
Juwel
Kamel
Kaneel
Kautel
Krakeel
Mehl
Paneel
parallel
scheel
meiner Seel!
Spaniel

ich befehl
ich verhehl
(siehe **elen**)

elbe

derselbe
Elbe
eine gelbe

elber

selber
ein gelber
(dazu **älber**)

elch

Elch
Kelch
welch

eld

(siehe **ĕlt**)

elde

Melde
ich melde
im Felde
dem Gelde
(siehe **ĕlt**)
(dazu **älde**)

elden

melden
die Helden
die Melden

elder

Melder
die Felder
die Gelder
(dazu **älder**)

ele

(ohne) Fehle
Garnele
Kehle
Makrele
Parallele
Philomele
Seele
Stele
die Befehle
die Kamele
(siehe **el**)
im empfehle
ich krakeele
(siehe **elen**)

elen

befehlen
beseelen
empfehlen
entseelen
fehlen
  verfehlen
hehlen
krakeelen
schwelen
stehlen
  bestehlen
verhehlen
die Juwelen
die fidelen
(siehe **el**)
Allerseelen
die Parallelen
(siehe **ele**)

elend

befehlend
beseelend
empfehlend
krakeelend
schwelend
(siehe **elen**)

174

eler

Fehler
Hehler
Krakeeler
Stehler
ein fideler
ein paralleler
ein scheeler

elf

Behelf
Elf
elf

elfen

helfen
die Elfen
zu elfen

elfer

Gebelfer
Helfer

elge

Felge
ich schwelge

elgen

schwelgen
die Felgen

elich(g)

kehlig
mehlig
selig
. . . selig
  armselig
  glückselig
  holdselig

leutselig
mühselig
redselig
saumselig
trübselig
unselig
unausstehlich
unwiderstehlich

eling

Drehling
Reling

elk

welk
(dazu **älk**)

elke

Nelke
eine welke
ich melke
ich welke
(dazu **älke**)

elken

melken
welken
die Nelken
(dazu **älken**)

ell

aktuell
Appell
Aquarell
Bordell
Drell
Duell
eventuell
Fell
finanziell

formell
Gebell
gell
generell
Gesell
Gestell
grell
hell
Hotel
ideell
individuell
intellektuell
Kapitell
Karussell
Kartell
Kastell
konventionell
kriminell
Kuratel
Mamsell
materiell
Modell
Motel
Naturell
offiziell
originell
Pastell ← *PULCINELL*
Pedell
potentiell
Quell
rationell
Rebell
reell
Ritornell
Rondell
schnell
sensationell
sexuell
Skalpell
speziell
universell
Zeremoniell
zeremoniell
ich schell
ich stell
(siehe **ellen**)

ellchen

Dellchen
Fellchen
Forellchen
Gestellchen
Kapellchen
Karussellchen
Mamsellchen
Pimpernellchen
selchen
Stellchen
Wellchen
den Elchen
den Kelchen
welchen
(siehe **elch**)
(dazu **ällchen**)

elle

Bagatelle
Delle
Elle
Forelle
Frikadelle
Frikandelle
Gazelle
das Helle (Bier)
die Helle
Karavelle
Kelle
Lamelle
Libelle
Mirabelle
Miszelle
Novelle
Parzelle
Pelle
Quelle
Sardelle
Schelle
Schnelle
Schwelle
Stelle
Tabelle

Welle
Zelle
Zitadelle
der Intellektuelle
das Originelle
(siehe **ell**)
ich erhelle
ich prelle
(siehe **ellen**)

ellen

anheimstellen
(etwas) anstellen
(jemand) anstellen
(sich) anstellen
bellen
  verbellen
bestellen
entstellen
erhellen
gellen
gesellen
herstellen
pellen
prellen
quellen
schellen
schnellen
schwellen
stellen
  abstellen
  aufstellen
  hinstellen
  zustellen
unterstellen
verstellen
wellen
zerschellen
die Gesellen
die Kriminellen
den Modellen
(siehe **ell**)
die Libellen
die Zellen
(siehe **ell**)

eller

Besteller
Eller
Heller
Keller
Muskateller
Preller
Propeller
Teller
Weichensteller
schneller
ein reeller
(siehe **ell**)

ells, ellt

(siehe **ĕls, ĕlt**)

ellig

anstellig
dickfellig
einhellig
gesellig
schellig
unterschwellig
wellig
(siehe **ällig**)

ellt

(siehe **ĕlt**)

ellung

Bestellung
Entstellung
Erhellung
Prellung
Schwellung
Stellung
Verstellung
Zusammenstellung
Zustellung

elm

Helm
Schelm

ĕls

Fels
Wels
des Quells
des Rondells
(siehe **ell**)
ich erhell's
ich stell's
(siehe **ellen**)

ēlt

beseelt
entseelt
verfehlt
er krakeelt
ihr empfehlt
(siehe **elen**)

ĕlt

angestellt
anheimgestellt
Belt
bestellt
Entgelt
entstellt
erhellt
Feld
Geld
gelt?
geprellt
geschwellt
gesellt
  beigesellt
  zugesellt
gestellt
gewellt
Held

ER TÜFTELT

Spelt
verstellt
Welt
  Lebewelt
  Unterwelt
wiederhergestellt
Zelt
  Himmelszelt
es gellt
er prellt
(siehe **ellen**)
(dazu **ält**)

ēlte

es schwelte
ich verhehlte
(siehe **elen**)
der Entseelte
das Verfehlte
(siehe **ēlt**)

ĕlte

Schelte
es schellte
ich stellte
(siehe **ellen**)
der Geprellte
im Zelte
(siehe **ĕlt**)
ich gelte
ich schelte
(siehe **elten**)
(dazu **älte**)

elten

entgelten
gelten
schelten
selten
vergelten
zelten
sie schellten
sie stellten

178

(siehe **ellen**)
die Angestellten
die Welten
(siehe **ĕlt**)
(dazu **älten**)

elter

Kelter
Vergelter
Zelter
ein Geprellter
ein geschwellter
(siehe **ĕlt**)
(dazu **älter**)

eltern

die Eltern
keltern
den Vergeltern
(siehe **elter**)
(dazu **ältern**)

eltlich

unentgeltlich
weltlich
(dazu **ältlich**)

elung

Beseelung
Empfehlung
Verfehlung

elz

Pelz
Schmelz
Gott vergelt's
des Entgelts
da schellt's
ihr stellt's
(siehe **ellen**)
(dazu **älts**)

elze

Schmelze
  Schneeschmelze
Stelze
die Pelze
ich pelze
ich stelze
(siehe **elzen**)
(dazu **älze**)

elzen

pelzen
schmelzen
stelzen
den Pelzen
den Stelzen
(siehe **elze**)
(dazu **älzen**)

em

angenehm
bequem
dem
. . . dem
  außerdem
  ehedem
  indem
  nachdem
  seitdem
  vordem
  zudem
Diadem
Ekzem
Emblem
Extrem
extrem
Lehm
Ödem
Poem
Problem
System
Theorem
ich nehm

ich verfem
(siehe **emen**)

ema

Schema
Thema
Trema

emd
(siehe **emmt**)

eme

Feme
das Bequeme
die Extreme
(siehe **em**)
ich nehme
ich bequeme
(siehe **emen**)

eme (äme)

Boheme
Creme
Tantieme

emen

Benehmen
benehmen
bequemen
nehmen
  abnehmen
  aufnehmen
  entnehmen
  hinnehmen
  übernehmen
  unternehmen
  vernehmen
Schemen
Unternehmen
verfemen
Vernehmen

den Problemen
die extremen
(siehe **em**)

emer

Arbeitnehmer
Unternehmer
ein angenehmer
ein bequemer
(siehe **em**)

emisch

akademisch
chemisch
endemisch
epidemisch
polemisch

emlich

annehmlich
bequemlich
vernehmlich
vornehmlich

emm

Emm (Mark)
die Kaschemm'
ich schlemm
ich schwemm
(siehe **emmen**)
(dazu **ämm**)

emmchen

Bemmchen
Emmchen
(dazu **ämmchen**)

emme

Bemme
Gemme

Kaschemme
Klemme
Memme
Schwemme
ich hemme
ich schlemme
(siehe **emmen**)
(dazu **ämmen**)

emmen

hemmen
klemmen
schlemmen
schwemmen
die Klemmen
die Memmen
(siehe **emme**)
(dazu **ämmen**)

emmer

Emmer
Klemmer
Schlemmer
(dazu **ämmer**)

emmern

schlemmern
den Emmern
den Klemmern
den Schlemmern
(dazu **ämmern**)

emmert

geschlemmert
(dazu **ämmert**)

emmt

aufgeschwemmt
eingeklemmt
fremd
gehemmt

180

Hemd
verklemmt
er hemmt
er schlemmt
(siehe **emmen**)
(dazu **ämmt**)

empe

Krempe
Plempe

empel

Exempel
Gerempel
Krempel
Stempel
Tempel

empeln

anrempeln
krempeln
  aufkrempeln
  umkrempeln
stempeln
den Exempeln
den Tempeln
(siehe **empel**)

emse

Bremse
Emse
Gemse
Themse
ich bremse

emsen

bremsen
die Gemsen
(siehe **emse**)

emser

Bremser
Kremser
(dazu **ämser**)

emter

Remter
ein gehemmter
ein verklemmter
(siehe **emmt**)
(dazu **ämmt**)

emung

Anbequemung
Unternehmung
Verfemung
Vernehmung

emut

Demut
Wehmut

en

Arsen
Athen
den
endogen
exogen
fotogen_ _BADEN_
heterogen
homogen
Mäzen
Phänomen
schizophren
Silen
telegen
zehn
flehn
gehn
stehn
(siehe **ehen**)

181

ence (angße)

Fayence
Patience
(dazu **ance**)

end

(siehe **ent**)

endchen

Endchen
(dazu **ändchen**)

ende

Agende
Allmende
behende
Blende
Dividende
Ende
Kurrende
Legende
Lende
Spende
ich beende
ich spende
(siehe **enden**)
(dazu **ände**)

endel

Lavendel
Pendel
Quendel
(dazu **ändel**)

endeln

mendeln
pendeln
den Pendeln
(siehe **endel**)
(dazu **ändeln**)

enden

Bewenden
bewenden (lassen)
blenden
enden
  beenden
  verenden
  vollenden
spenden
wenden
die Dividenden
den Spenden
(siehe **ende**)
(dazu **änden**)

ender

Blender
Kalender
Marketender
Sender
Spender
Tender
Verschwender
Vollender
Sechzehnender
(dazu **änder**)

endern

schlendern
den Sendern
den Verschwendern
(siehe **ender**)
(dazu **ändern**)

endig

auswendig
elendig
lebendig
notwendig
wendig
sechzehnendig
(dazu **ändig**)

endigen

endigen
die Lebendigen
den notwendigen
(siehe **endig**)
(dazu **ändig**)

endisch

wetterwendisch
(dazu **ändisch**)

endler

Pendler
(dazu **ändler**)

endlich

(siehe **enntlich**)

ends

(siehe **enz**)

endung

Blendung
Endung
Sendung
Verblendung
Verschwendung
Verwendung
Vollendung
Wendung

ene

Hygiene
jene
Kantilene
Lehne
notabene
Sarazene
Sehne

Sirene
Szene
die Mäzene
die Phänomene
(siehe **en**)
ich entlehne
ich sehne (mich)
(siehe **enen**)

enen

belehnen
dehnen
denen (, die)
entlehnen
jenen
lehnen
sich sehnen
den Mäzenen
die fotogenen
(siehe **en**)
die Sirenen
die Szenen
(siehe **ene**)

ener

jener
Nazarener
Zehner
ein schizophrener
(siehe **en**)

eng

eng
streng
ich beeng
ich spreng
(siehe **engen**)
(dazu **äng**)

enge

Enge
Gemenge

183

Menge
Senge
Strenge
der enge
der strenge
ich strenge (mich an)
ich zersprenge
(siehe **engen**)
(dazu **änge**)

die strengen
die Engen
den Mengen
(siehe **enge**)
(dazu **ängen**)

engel

Bengel
Dengel
Engel
Gequengel
Schwengel
Sprengel
Stengel
ich dengel
ich quengel
(dazu **ängel**)

enger

enger
strenger
(dazu **änger**)

engern

die engern
die strengern
(dazu **ängern**)

englich(g)

langstenglig
quenglig
überschwenglich
(dazu **änglich**)

engeln

dengeln
quengeln
den Engeln
den Stengeln
(siehe **engel**)
(dazu **ängeln**)

engst

Hengst
du mengst
du zersprengst
(siehe **engen**)
(dazu **ängst**)

engen

anstrengen (einen Prozeß)
sich anstrengen
beengen
krengen
mengen
  vermengen
sengen
  versengen
sprengen (begießen)
sprengen (den Stein)
  zersprengen
die engen

engt

angestrengt
beengt
eingeengt
gesprengt
vermengt
versengt
versprengt
er beengt
er mengt
(siehe **engen**)
(dazu **ängt**)

184

engung

Anstrengung
Beengung
Einengung
Sprengung
Vermengung
(dazu **ängung**)

enig(ch)

sehnig
wenig
dehn ich
lehn ich
(siehe **enen**)

enk

eingedenk
Gelenk
gelenk
 ungelenk
Geschenk
Schenk
Wehrgehenk
ich denk
ich lenk
(siehe **enken**)
(dazu **änken**)

enkbar

denkbar
lenkbar
versenkbar

enke

Gesenke
Menkenke
Schenke
Senke
die Gelenke
die Geschenke
(siehe **enk**)

ich denke
ich lenke
(siehe **enken**)
(dazu **änke**)

enkel

Enkel (Knieknöchel)
Enkel (Kindessohn)
Henkel
Schenkel
Senkel
Sprenkel
(dazu **änkel**)

enkeln

besprenkeln
einhenkeln
den Enkeln
den Henkeln
(siehe **enkel**)
(dazu **änkeln**)

enken

Bedenken
denken
 bedenken
 erdenken
 gedenken
 verdenken
einrenken
henken
lenken
 ablenken
 einlenken
 hinlenken
schenken
 beschenken
 verschenken
schwenken
 abschwenken
 einschwenken
senken
 versenken

verrenken
den Gelenken
den Geschenken
(siehe **enk**)
die Schenken
die Senken
(siehe **enke**)
(dazu **änken**)

enker

Denker
Henker
Lenker
Schenker
Schwenker
Senker
(dazu **änker**)

enkern

schlenkern
den Denkern
(siehe **enker**)
(dazu **änkern**)

enklich(g)

bedenklich
  unbedenklich
erdenklich
gleichschenklig
sprenklig
unausdenklich
undenklich
(dazu **änklich**)

enkt

gelenkt
geschenkt
verrenkt
er denkt
er schenkt
(siehe **enken**)
(dazu **änkt**)

186

enkung

Lenkung
Schenkung
Schwenkung
Senkung
Verrenkung
Versenkung

enn

denn
Fenn ~~Jeans~~
Gentleman
Gerenn
majorenn
minorenn
Senn
solenn
Venn
wenn
ich brenn
ich kenn
ich nenn
(siehe **ennen**)

ennbar

erkennbar
unnennbar
untrennbar
unverbrennbar
unverkennbar

enne

Antenne
Gerenne
Henne
Penne
Senne
Tenne
ich kenne
ich nenne
(siehe **ennen**)

ennen

bekennen
brennen
  entbrennen
  verbrennen
flennen
kennen
  erkennen
  verkennen
nennen
  benennen
  ernennen
pennen
  verpennen
Rennen
rennen
  berennen
trennen
  zertrennen
die Antennen
die Hennen
(siehe **enne**)
(dazu **ännen**)

ennige

Mennige
die Pfennige

ennlich

unzertrennlich
(dazu **ännlich**)

enns, ennst, ennt

(siehe **ens, enst, ent**)

enntlich

endlich
  unendlich
erkenntlich
kenntlich
  unkenntlich

unabwendlich
(dazu **ändlich**)

enntnis

Bekenntnis
Erkenntnis
Kenntnis
  Unkenntnis
(dazu **ändnis**)

ennts

(siehe **enz**)

ennung

Nennung
  Benennung
Trennung
Verbrennung
Verkennung

ens

Dispens
immens
Nonsens
Pence
ich bekenn's
ich verpenn's
(siehe **ennen**)

ense

Sense
Trense

enst

Gespenst
du kennst
du rennst
(siehe **ennen**)
(dazu **ännst**)

187

enster

Fenster
die Gespenster

ent

Abiturient
Abonnent
abstinent
Advent
Agent
Akzent
Argument
Assistent
Äquivalent
behend
Cant
Cent
dekadent
Delinquent
dezent
Dirigent
Disponent
Dissident
Dokument
Dozent
Element
eminent
existent
Experiment
Ferment
Firmament
Fragment
Fundament
Gent (Gentleman)
getrennt
Happy-End
immanent
impertinent
indifferent
indolent
insolvent
Inspizient
Instrument
intelligent

Klient
kompetent
Kompliment
Konkurrent
konsequent
Konsument
Kontinent
Konvent
korpulent
latent
Medikament
Moment
Monument
Okzident
Opponent
Orient
Ornament
Parlament
Patent
patent
Patient
Pergament
permanent
Pigment
Postament
Präsident
Produzent
prominent
Prozent
Referent
Regent
Regiment
renitent
Reverend
Rezensent
Rudiment
Sakrament
Segment
Skribent
Sortiment
Student
Superintendent
Talent
Temperament
Testament
Traktament

Transparent
transparent
transzendent
Trend
vehement
virulent
Dividend'
zu End'
(siehe **ende**)
ich send
ich wend
(siehe **end**)
er flennt
er kennt
(siehe **ennen**)
(dazu **ännt**)

ent (ang)

Divertissement
Engagement
Reglement
(dazu **and, ant**)

entchen

Entchen
Momentchen
Quentchen
Studentchen
Talentchen

ente

die Alimente
Dolce far niente
Ente
Polente
Posamente
Rente
Tangente
ich pennte
ich trennte
(siehe **ennen**)
die Momente
der renitente
(siehe **ent**)

enter

Enter
Pergamenter
Posamenter
Sakramenter
Sortimenter
die Regimenter
ein patenter
(siehe **ent**)

entern

entern
kentern
den Regimentern
den Sakramentern
(siehe **enter**)

entner

Rentner
Zentner

enung

Belehnung
Dehnung
Entlehnung

enz

Abstinenz
Assistenz
Audienz
Dekadenz
Differenz
Eloquenz
Eminenz
Essenz
Existenz
Exzellenz
Frequenz
Impertinenz
Impotenz
Indolenz

189

Influenz	**enze**
Insolvenz	
Intelligenz	Grenze
Jurisprudenz	im Lenze
Kadenz	ich grenze
Karenz	ich scharwenze
Kompedenz	(siehe **enzen**)
Kondolenz	(dazu **änze**)
Konkurrenz	
Konsequenz	**enzeln**
Korpulenz	
Korrespondenz	scharwenzeln
Kredenz	(dazu **änzeln**)
Lenz	
Lizenz	**enzen**
Magnifizenz	
Permanenz	begrenzen
Pestilenz	kredenzen
Quintessenz	lenzen
Referenz	scharwenzen
Reminiszenz	die Grenzen
Renitenz	die Existenzen
Residenz	die Referenzen
Resistenz	(siehe **enz**)
Reverenz	(dazu **änzen**)
Sentenz	
Tendenz	
Transparenz	**enzer**
Turbulenz	Grenzer
Vehemenz	Spenzer
Virulenz	(dazu **änzer**)
vollends	
ich end's	
Gott wend's	**enzung**
(siehe **enden**)	Begrenzung
er kennt's	(dazu **änzung**)
dort brennt's	
(siehe **ennen**)	
des Parlaments	**epfe**
des Talents	Schnepfe
(siehe **ent**)	(dazu **äpfe**)
die Grenz'	
ich begrenz	
ich kredenz	**epp**
(siehe **enzen**)	Depp
(dazu **änz**)	Handicap

Krepp
Nepp
Sepp
Step
die Trepp'
(siehe **eppe**)
ich stepp
ich nepp
(siehe **eppen**)

eppchen

Treppchen
(dazu **äppchen**)

eppe

Schleppe
Schneppe
Steppe
Treppe
ich kreppe
ich schleppe
(siehe **eppen**)

eppen

kreppen
neppen
schleppen
steppen
den Deppen
die Schleppen
die Treppen
(siehe **eppe**)

epper

Flapper
Geschepper
Kidnapper
Klepper
Nepper
Schlepper
Schnepper
Stepper

eppern

scheppern
den Kleppern
den Schleppern
(siehe **epper**)
(dazu **äppern**)

eppich

Eppich
Teppich
schlepp ich
stepp ich
(siehe **eppen**)

ept

Adept
gehandicapt
geneppt
gesteppt
Konzept
Rezept
verschleppt
er neppt
er schleppt
(siehe **eppen**)

eptisch

epileptisch
septisch
  antiseptisch
skeptisch

er

Ahasver
Begehr
Beschwer
der
er *EBER*
Ger
Gewehr
Heer

hehr
her
  bisher
  einher
  nebenher
  vorher
  woher
leer
  menschenleer
  tränenleer
Meer
mehr
  nimmermehr
  vielmehr
Neer
quer
Schmer
schwer
  tränenschwer
  wolkenschwer
sehr
Speer — STORGER = VAG.
Ster
Teer
Verkehr
Verzehr
Wehr
wer
Wiederkehr
ich begehr
ich leer
ich lehr
(siehe **eren**)

erb

biderb
derb
Erwerb
herb
süperb
Verb
Verderb
Wettbewerb
ich erb
ich sterb

ich verderb
(siehe **erben**)
(dazu **ärb**)

erbe

das Erbe
der Erbe
Gewerbe
Kerbe
Scherbe
dem Verderbe
der herbe
(siehe **erb**)
ich kerbe
ich verderbe
(siehe **erben**)
(dazu **ärbe**)

erbel

Hyperbel
Kerbel
Scherbel
ich scherbel (tanze)
ich verscherbel (verkaufe)

erben

erben
erwerben
gerben
kerben
sterben
Verderben
verderben
werben
  bewerben
den Wettbewerben
die derben
die herben
(siehe **erb**)
die Erben
den Kerben
(siehe **erbe**)
(dazu **ärben**)

erber

Gerber
Sperber
Verderber
Werber
  Bewerber
derber
ein herber
(siehe **erb**)
(dazu **ärber**)

erblich

erblich
gewerblich
sterblich
  unsterblich
verderblich

erbst

Herbst
du erbst
du gerbst
(siehe **erben**)
(dazu **ärbst**)

erbt

geerbt
gegerbt
gekerbt
verderbt
ihr sterbt
ihr werbt
(siehe **erben**)
(dazu **ärbt**)

erbung

Bewerbung
Erwerbung
Vererbung
Werbung
(dazu **ärbung**)

erche

Lerche
die Pferche
ich pferche
(dazu **ärche**)

erchen

pferchen
die Lerchen
den Pferchen
(dazu **ärchen**)

erd

(siehe **ērt**)

erde

Beschwerde
Erde
Herde
ich erde
ich werde
die Herde (Öfen)
die Pferde
(siehe **ērt**)

erden

erden
werden
den Herden (Öfen)
den Pferden
(siehe **ērt**)
die Beschwerden
auf Erden
(siehe **erde**)

ere

Bajadere
Beere
Belvedere
Ehre

193

Galeere
Kehre
Konifere
Leere
Lehre
Quere
Schere
Schwere
die Meere
eine schwere
(siehe **er**)
ich begehre
ich beschere
(siehe **eren**)

i-ère

(siehe **äre**)

eren

begehren
bekehren
bescheren
beschweren
ehren
  beehren
  entehren
  verehren
einkehren
entbehren
erschweren
kehren (wenden)
kehren (säubern)
leeren
lehren
mehren
  vermehren
queren
  durchqueren
  überqueren
scheren
teeren
verheeren
verkehren
versehren

194

wehren
  verwehren
zehren
  verzehren
den Gewehren
den Heeren
(siehe **er**)
die Beeren
den Kehren
(siehe **ere**)

erend

belehrend
entehrend
erschwerend
verheerend
verzehrend

erer

Bekehrer
Briefbeschwerer
Essenkehrer
Lehrer
Mehrer
(Spät-)Heimkehrer
Straßenkehrer
Verehrer
Verzehrer
  Rauchverzehrer
ein leerer
schwerer
(siehe **er**)

erf

Nerv
ich werf
(siehe **erfen**)
(dazu **ärf**)

erfe

Kerfe
ich werfe

(siehe **erfen**)
(dazu **ärfe**)

erfen

entnerven
entwerfen
werfen
  überwerfen
  unterwerfen
  verwerfen
den Kerfen
die Nerven
(dazu **ärfen**)

erft

Werft
entnervt
ihr werft
(dazu **ärft**)

erg

Berg
Werg
Zwerg
ich verberg
(siehe **ergen**)

erge

Ferge
Latwerge
die Berge
die Zwerge
ich berge
(dazu **ärge**)

ergen

bergen
  verbergen
den Bergen
den Zwergen
die Fergen

die Herbergen
(dazu **ärgen**)

erger

Drückeberger
(dazu **ärger**)

ergisch

allergisch
energisch

erie

Arterie
Bakterie
Serie

erien

die Ferien
die Kriterien
die Ministerien
die Mysterien
die Arterien
(siehe **erie**)

erig

bisherig
gelehrig
nunmehrig
seitherig
teerig

erisch

ätherisch
cholerisch
esoterisch
homerisch
hysterisch
lutherisch
peripherisch
venerisch

erk

Augenmerk
Vermerk
Werk
  Feuerwerk
  Liebeswerk
  Meisterwerk
  Tagewerk

erke

Gewerke
die Vermerke
die Werke
(siehe **erk**)
ich merke
ich vermerke
(siehe **erken**)
(dazu **ärke**)

erken

merken
  anmerken
  bemerken
  vermerken
den Gewerken
den Vermerken
den Werken
(siehe **erk**)
(dazu **ärken**)

erker

Berserker
Erker
Kerker
Merker
(dazu **ärker**)

erkung

Anmerkung
Bemerkung
(dazu **ärkung**)

196

erl

Kerl
Perl
BUSSERL

erle

Erle
Perle
Schmerle
die Kerle

erlich

begehrlich
beschwerlich
ehrlich
entbehrlich
  unentbehrlich
schwerlich
verehrlich

erm

Ferm
Perm
(dazu **ärm**)

erme

Therme
(dazu **ärme**)

ermen

die Spermen
die Fermen
die Thermen
(dazu **ärmen**)

ern

fern
... fern
  insofern
  inwiefern

sofern
wofern
gern
dem Herrn
intern
Kern
Konzern
modern
Stern
subaltern
ich lern
ich entfern
(siehe **ernen**)

erne

Ferne
ferne
gerne
Kaserne
Kaverne
Laterne
Moderne
Taverne
Zisterne
die Kerne
die Sterne
(siehe **ern**)
ich lerne
ich entferne
(siehe **ernen**)

ernen

entfernen
entkernen
lernen
  erlernen
  kennenlernen
  verlernen
die Modernen
den Sternen
(siehe **ern**)
die Fernen
die Laternen
(siehe **erne**)

erner

Falerner
Ferner
ferner
Fleckentferner
ein moderner
ein subalterner
(siehe **ern**)
(dazu **ärrner**)

ernst

Ernst
ernst
du entfernst
du lernst
(siehe **ernen**)

ernt

besternt
entfernt
entkernt
gelernt
verlernt
er lernt
(siehe **ernen**)

ernte

Ernte
ich ernte
ich entfernte
ich verlernte
(siehe **ernen**)
das Gelernte
der besternte
(siehe **ernt**)

ernten

ernten
die Ernten
die Entfernten
sie verlernten
(siehe **ernen**)

ernung

Entfernung
Erlernung

ero

Bolero
dero
Sombrero
Torero
Zero

err

Gezerr
Herr
Parterr(e)
UdSSR
ich sperr
ich zerr
(dazu **ärr**)
KLAUSNER

errchen

Herrchen
(dazu **ärrchen**)

erre

Gezerre
Parterre
Sperre
ich sperre
ich zerre
(siehe **erren**)
(dazu **ärre**)

erren

die Herren
die Sperren
sperren
  einsperren
  versperren
zerren

198

verzerren
(dazu **ärren**)

errin

Herrin
(dazu **ärrin**)

errisch

herrisch
(dazu **ärrisch**)

errt

(siehe **ĕrt**)

errts

(siehe **ĕrts**)

erst

erst
zuerst
du begehrst
du lehrst
(siehe **eren**)

ērt

abgekehrt
ausgeschert
ausgezehrt
beehrt
begehrt
bekehrt
beschert
beschwert
bewehrt
entehrt
geehrt
geleert
gelehrt
geteert
Herd

Pferd
Schwert
Wert
wert
... wert
  beachtenswert
  bedauernswert
  bemerkenswert
  beneidenswert
  bewundernswert
  ehrenwert
  liebenswert
  lobenswert
  nennenswert
  sehenswert
  wissenswert
verehrt
verkehrt
vermehrt
versehrt
  unversehrt
er ehrt
kehrt!
(siehe **eren**)

ĕrt

alert
gesperrt
Konzert
versperrt
verzerrt
er sperrt
er zerrt
(siehe **erren**)
(dazu **ärren**)

ērte

ich ehrte
ich vermehrte
(siehe **eren**)
der Gelehrte
der Versehrte
im Werte
(siehe **ērt**)

ĕrte

Experte
Gerte
Lazerte
Offerte
ich sperrte
ich zerrte
(siehe **erren**)
die Konzerte
der versperrte
(siehe **ĕrt**)
(dazu **ärte**)

erten

sie sperrten
sie zerrten
(siehe **erren**)
den Konzerten
die gesperrten
(siehe **ĕrt**)
die Experten
die Offerten
(siehe **ĕrte**)
(dazu **ärten**)

ērter

die Schwerter
ein begehrter
kein nennenswerter
mein Verehrter!
ein Versehrter
(siehe **ērt**)

ĕrter

ein alerter
ein gesperrter
ein verzerrter
(dazu **ärter**)

ertheit

Begehrtheit
Gelehrtheit

Unversehrtheit
Verkehrtheit

ērtig(ch)

wertig
werd' ich
ehrt' ich
lehrt' ich
(siehe eren)

ĕrtig(ch)

eilfertig
fertig
sperrt' ich
zerrt' ich
(siehe erren)
(dazu ärtig)

ērz

Erz
des Schwerts
des Werts
er begehrt's
er lehrt's
(siehe eren)

ĕrz

Herz
Kommerz
Nerz
Scherz
Schmerz
Sterz *POPE's NOSE*
Terz *GROSSE U. KLEINE T.*
des Konzerts
er versperrt's
er verzerrt's
(siehe erren)
ich herz
ich scherz
(siehe erzen)
(dazu ärz)

erze

Kerze
Sesterze
im Scherze
im Schmerze
ich herze
ich verscherze
(siehe erzen)
(dazu ärze)

erzen

ausmerzen
herzen
scherzen
schmerzen
verscherzen
verschmerzen
die Kerzen
zu Herzen
mit Schmerzen
(siehe ĕrz)
(dazu ärzen)

erzlich

herzlich
schmerzlich
(dazu ärzlich)

erzt

ausgemerzt
beherzt
verscherzt
verschmerzt
(dazu ärzt)

ēs

Fes
des Premiers
des Wehs
(siehe e)
ich gesteh's

ich seh's
(siehe **ehen**)

ĕs (ĕß)

Abszeß
Baroneß
des
Dreß
Expreß
expreß
Exzeß
indes
keß
kompreß
Komteß
Kongreß
Prinzeß
Prozeß
reß
SOS
wes(sen)
das Intereß'
die Meß'
(siehe **esse**)
ich eß
ich meß
(siehe **essen**)

esch

fesch
Gepresch'
resch
(dazu **äsch**)

esche

Bresche
Depesche
Dresche
Esche
Kalesche
eine fesche
eine resche
ich dresche

ich presche
(dazu **äsche**)

eschen

dreschen
preschen
verdreschen
die feschen
die reschen
die Breschen
die Kaleschen
(siehe **esche**)

escher

Drescher
Kescher
ein fescher
ein rescher
(dazu **äscher**)

eschern

den Dreschern
die feschern
(siehe **escher**)
(dazu **äscher**)

ese

Anamnese
Askese
Chinese
Diözese
Exegese
Katechese
Lese
Marchese
Parenthese
Prothese
Synthese
These
ich lese
ich genese
(siehe **esen**)

esel

Esel
Pesel

esen

auserlesen
Besen
erlesen
Federlesen
genesen
gewesen
lesen
   ablesen
   auflesen
   verlesen
   vorlesen
   zusammenlesen
die Spesen
verwesen
Wesen
wesen (das Wesen treiben)

eser

Kalabreser
Leser
Verweser

esk

burlesk
pittoresk

eske

Arabeske
Burleske
Freske
Humoreske
das Pittoreske

espe

Espe
Wespe

eßchen

Baroneßchen
Komteßchen
Prinzeßchen
(dazu **äßchen**)

esse

Adresse
Baronesse
Blesse
Delikatesse
Esse
Finesse
Fresse
Interesse
Kompresse
Komtesse
Kresse
Mätresse
Messe
Noblesse
Presse
Raffinesse
Tresse
Zypresse
beim Kongresse
eine kesse
(siehe **ĕs**)
ich esse
ich presse
(siehe **essen**)
(dazu **ässe**)

essel

Fessel
Kessel
Nessel
Sessel

esseln

einkesseln
fesseln
   entfesseln

die Fesseln
den Kesseln
(siehe **essel**)

essen

angemessen
besessen
dessen
eingesessen
Ermessen
ermessen
Essen
essen
Fressen
fressen
indessen
messen
pressen
  erpressen
unterdessen
verfressen
vergessen
  pflichtvergessen
vermessen (abmessen)
vermessen (überheblich)
versessen
wessen
zerfressen
den Prozessen
die kessen
(siehe **ess**)
die Komtessen
die Zypressen
(siehe **esse**)
(dazu **ässen**)

esser

besser
Durchmesser
Erpresser
Esser
Fresser
Menschenfresser
Messer
(dazu **ässer**)

essern

bessern
den Messern
die bessern
(siehe **esser**)
(dazu **ässern**)

essig

Essig
(dazu **ässig**)

eßlich

· unermeßlich
unvergeßlich
vergeßlich
(dazu **äßlich**)

essor

Aggressor
Assessor
Professor

essung

Erpressung
Messung
  Vermessung

ēst

Geest
verwest
du gehst
du stehst
(siehe **ehen**)
er genest
ihr lest
(siehe **esen**)

ĕst (eßt)

Arrest
Asbest

203

Attest
betreßt
Fest
fest
  bibelfest
  feuerfest
  kugelfest
  sattelfest
  wetterfest
Gebrest
gepreßt
Inzest
Manifest
Nest
Pest
Podest
Protest
Rest
Test
West
eßt!
er preßt
(siehe **essen**)
(dazu **äst**)

estchen

Nestchen
Restchen
(dazu **ästchen**)

este (eßte)

das Beste
Feste (Festung)
Feste (Himmel)
Geste
Meste
Weste
die Proteste
feste!
(siehe **ëst**)
ich preßte
ich teste
(siehe **esten**)
(dazu **äste**)

esteln

nesteln
(dazu **ästeln**)

esten (eßten)

am besten
Gebresten
die Molesten
sie preßten
testen
verpesten
die Bibelfesten
den Protesten
(siehe **ëst**)
die Gesten
die Westen
(siehe **este**)
(dazu **ästen**)

ester

mein Bester!
Chester
Ester
Orchester
Schwester
Semester
Silvester
Südwester
fester
die Nester
(siehe **ëst**)
(dazu **äster**)

estern

gestern
den Nestern
die festern
(siehe **ëst**)
die Schwestern
den Semestern
(siehe **ester**)
(dazu **ästern**)

estigen

befestigen
festigen
(dazu **ästigen**)

estigt

befestigt
(siehe **ästigt**)

estigung

Befestigung
Festigung
(dazu **ästigung**)

estlich

festlich
restlich
westlich

estrich(g)

Estrich
gestrig

estung

Festung
Verpestung

esung

Genesung
Lesung
  Verlesung
Verwesung

et

Alphabet
Anachoret
Analphabet

Apologet
Asket
Athlet
aufgedreht
Beet
beredt
Dekret
diskret
Fleet
Gebet
Interpret
Komet
konkret
Magnet
Met
Paket
Pamphlet
Planet
Poet
Prolet
Prophet
Sekret
Staket
stet
Tapet
verdreht
verweht
geht!
seht!
es weht
(siehe **ehen**)
ich bet
ich tret
(siehe **eten**)

ete

(rote) Beete
Karrete
Kathete
Lamprete
Lethe
Muskete
Pastete
Rakete
Tapete

205

Trompete
ich flehte
es wehte
(siehe **ehen**)
die Beete
die Gebete
(siehe **et**)
ich knete
ich vertrete
(siehe **eten**)

eten

beten
betreten (betroffen)
kneten
die Moneten
treten
  betreten
  vertreten
sie erflehten
sie verdrehten
(siehe **ehen**)
die Athleten
den Trompeten
(siehe **et**)
die Musketen
den Trompeten
(siehe **ete**)

eter

Barometer
Beter
Geometer
Gezeter
Katheder
Leisetreter
Meter
  Kilometer
  Zentimeter
Peter
  Struwwelpeter
  Zappelpeter
Salpeter
Tachometer

Taxameter
Thermometer
Trompeter
Vertreter
ein diskreter
ein verdrehter
(siehe **et**)

etern

zetern
den Betern
den Trompetern
(siehe **eter**)

etik

Apologetik
Arithmetik
Ästhetik
Athletik
  Leichtathletik
  Schwerathletik
Diätetik
Ethik
Kosmetik
Pathetik
Phonetik
Poetik

etisch

alphabetisch
asketisch
ästhetisch
athletisch
ethisch
Fetisch
frenetisch
häretisch
hermetisch
magnetisch
pathetisch
phonetisch
poetisch
prophetisch
theoretisch

ets

(siehe **ez**)

etsch

Gefletsch
Sketch
(dazu **ätsch**)

etschen

fletschen
quetschen
Zwetschen

ett

adrett
Amulett
Bajonett
Ballett
Bankett
Barett
Bett
Billett
Brett
Brikett
Brisolett
brünett
Bukett
Duett
Etikett
Falsett
Fett
fett
Florett
honett
Jackett
Kabarett
Kabinett
Kabriolett
Kadett
Klosett
kokett
komplett

Kornett
Korsett
Kotelett
Lazarett
Menuett
Minarett
nett
Omelett
Parkett
Quartett
Quintett
Sextett
Skelett
Sonett
Spinett
Stilett
Tablett
Terzett
bis zum Tezett
violett
er macht wett
von A bis Zett
die Chansonett'
die Klarinett'
(siehe **ette**)
ich rett
ich wett
(siehe **etten**)
(dazu **ätt**)

ettchen

Bettchen
Brettchen
Frettchen
Stiefelettchen
Tablettchen
(dazu **ättchen**)

ette

Amorette
Chansonette
Etikette
Facette
Gazette

207

Grisette
Kanzonette
Kassette
Kastagnette
Kette
Klarinette
Klette
Lafette
Lorgnette
Manschette
Marionette
Mette
Motette
Omelette
Operette
Palette
Pierrette
Pinzette
Pirouette
Plakette
Rosette
Serviette
Silhouette
Soubrette
Stafette
Toilette
Vignette
Wette
die Bankette
im Bette
die kokette
(siehe **ett**)
ich bette
ich wette
(siehe **etten**)
(dazu **ätte**)

ettel

Bettel
Vettel
Zettel
ich bettel
ich verzettel
(siehe **etteln**)
(dazu **ättel**)

etteln

anzetteln
betteln
verketteln
verzetteln
den Vetteln
den Zetteln
(dazu **ätteln**)

etten

betten
einfetten
ketten
  verketten
retten
wetten
den Betten
die adretten
(siehe **ett**)
Manschetten (auch Angst)
die Soubretten
(siehe **ette**)
(dazu **ätten**)

etter

Gekletter
Geschmetter
Letter
Retter
Setter
Vetter
Wetter
  Donnerwetter
  Frühlingswetter
  Regenwetter
  Reisewetter
die Bretter
ein honetter
(siehe **ett**)
ich bevetter
ich zerschmetter
(siehe **ettern**)
(dazu **ätter**)

ettern

bevettern
brettern
klettern
schmettern
wettern
zerschmettern
den Brettern
die nettern
(siehe **ett**)
die Lettern
den Rettern
(siehe **etter**)
(dazu **ätter**)

etti

Konfetti
Spaghetti
Teddy

etto

Allegretto
Getto
Libretto
netto
in petto

etts

(siehe **etz**)

ettung

Bettung
Rettung
Verfettung
Verkettung
(dazu **ättung**)

etung

Anbetung
Vertretung

etz

Gehetz
Gesetz
Netz
Petz
des Balletts
des Parketts
(siehe **ett**)
ich hetz
ich setz
(siehe **etzen**)
(dazu **ätz**)

etze

Hetze
Metze
Petze
die Gesetze
die Netze
(siehe **etz**)
ich letze
ich netze
(siehe **etzen**)
(dazu **ätzen**)

etzchen

Fetzchen
(dazu **ätzchen**)

etzen

besetzen
Entsetzen
entsetzen (eine Festung)
sich entsetzen
ersetzen
Fetzen
hetzen
    abhetzen
    verhetzen
letzen
netzen
    benetzen

209

petzen
  verpetzen
setzen
übersetzen (über den Fluß)
übersetzen (ein Buch)
verletzen
versetzen
wetzen
widersetzen
zerfetzen
zusetzen
den Gesetzen
den Netzen
(siehe **etz**)
die Hetzen
die Metzen
(siehe **etze**)
(dazu **ätzen**)

etzt

benetzt
besetzt
entsetzt
entwetzt
gehetzt
gesetzt
jetzt
verhetzt
verletzt
versetzt
zerfetzt
zuletzt
er petzt
er setzt
(siehe **etzen**)
(dazu **ätzt**)

etzer

Hetzer
Ketzer
Krippensetzer
Petzer
Setzer
Übersetzer
(dazu **ätzer**)

etzung

Setzung
Verhetzung
Verletzung
Versetzung
Zersetzung
(dazu **ätzung**)

etzig(ch)

jetzig
petz ich
setz ich
(siehe **etzen**)
(dazu **ätzig**)

e-um

Kolosseum
Lyzeum
Mausoleum
Museum
Odeum
Tedeum

etzlich

entsetzlich
etzlich (etlich)
gesetzlich
verletzlich
  unverletzlich
widersetzlich
(dazu **ätzlich**)

eu

ahoi!
Barsoi
Boy
Cowboy
Heu
Konvoi
Leu

Männertreu
neu
Pneu
Scheu
scheu
Spreu
Streu
toi-toi(-toi)!
treu
  getreu
die Reu'
die Treu'
ich freu
ich scheu
(siehe **euen**)
(dazu **äu**)

euch

euch
Gekeuch
(dazu **äuch**)

euche

Gekeuche
Seuche
Scheuche
  Vogelscheuche
ich keuche
ich scheuche
(dazu **äuche**)

eucheln

heucheln
meucheln

euchen

keuchen
scheuchen
  aufscheuchen
  verscheuchen
verseuchen

eucht

aufgescheucht
feucht
Geleucht
verscheucht
verseucht
mich deucht (dünkt)
er keucht
er kreucht (kriecht)
er scheucht
(siehe **euchen**)
ich befeucht
ich erleucht
(siehe **euchten**)

euchte

Feuchte
Leuchte
ich verscheuchte
er verseuchte
(siehe **euchen**)
mich deuchte
der feuchte
(siehe **eucht**)
ich befeuchte
ich leuchte
(siehe **euchten**)

euchten

feuchten
  anfeuchten
  befeuchten
leuchten
  beleuchten
  erleuchten
Wetterleuchten
die Leuchten
sie keuchten
sie scheuchten
(siehe **euchen**)
mich deuchten
die feuchten
(siehe **eucht**)

211

euchter

Beleuchter
Leuchter
ein aufgescheuchter
ein feuchter
ein verseuchter

eude

Freude
ich vergeude
(dazu **äude**)

euden

vergeuden
die Freuden
(dazu **äuden**)

euder

Schleuder
Vergeuder

eue

Reue
Treue
aufs neue
der scheue
(siehe **eu**)
ich betreue
ich erfreue
(siehe **euen**)
(dazu **äue**)

euel

Greuel
Pleuel
(dazu **äuel**)

eueln

den Greueln
(dazu **äueln**)

euen

betreuen
einbleuen
erneuen
freuen
  erfreuen
scheuen
streuen
  bestreuen
  verstreuen
reuen
  bereuen
verbleuen
sich zerstreuen
in Treuen
die Leuen
die scheuen
(siehe **eu**)
(dazu **äuen**)

euer

Abenteuer
Betreuer
euer
Feuer
geheuer
  ungeheuer
Heuer
heuer
Scheuer
das Steuer
die Steuer
(Salz- und Pfeffer-) Streuer
teuer
Ungeheuer
ein getreuer
ein neuer
(siehe **eu**)
(dazu **äuer**)

euerlich

abenteuerlich
neuerlich

steuerlich
ungeheuerlich
(dazu **äuerlich**)

euern

anheuern
beteuern
erneuern
feuern
  anfeuern
  befeuern
scheuern
steuern (zahlen)
  aussteuern
  besteuern
  versteuern
steuern (lenken)
verteuern
keinen getreuern
die neuern
(siehe **eu**)
die Steuern
die teuern
(siehe **euer**)
(dazu **äuern**)

euert

angeheuert
befeuert
beteuert
erneuert
gescheuert
gesteuert
versteuert
verteuert
(dazu **äuert**)

euerung

Besteuerung
Beteuerung
Erneuerung
Feuerung
Neuerung
Steuerung

Teuerung
  Verteuerung

euf

ich teuf
(dazu **äuf**)

eufe

Teufe
ich teufe
(dazu **äufe**)

eufel

Teufel
(dazu **äufel**)

eufeln

den Teufeln
(dazu **äufeln**)

eufen

teufen
(dazu **äufen**)

euft

abgeteuft
(dazu **äuft**)

eug

Zeug
ich bezeug
(dazu **äug**)

euge

Beuge
Zeuge
ich beuge
ich zeuge
(siehe **eugen**)
(dazu **äuge**)

213

eugen

beugen
  verbeugen
zeugen
  bezeugen
  überzeugen
die Beugen
die Zeugen
(dazu **äugen**)

eugt

bezeugt
er fleugt (fliegt)
gebeugt
gezeugt
überzeugt
er beugt
er zeugt
(siehe **eugen**)
(dazu **äugt**)

eugung

Beugung
Überzeugung
Verbeugung
Zeugung

eulchen

Beulchen
Keulchen
(dazu **äulchen**)

eule

Beule
Eule
Geheule
Keule
ich beule
ich heule
(siehe **eulen**)
(dazu **äule**)

eulen

beulen
  ausbeulen
  verbeulen
heulen
die Beulen
die Keulen
(siehe **eule**)
(dazu **äulen**)

eulich

abscheulich
erfreulich
greulich
neulich
treulich
  getreulich
beul ich
heul ich
(siehe **eulen**)
(dazu **äulich**)

eun

neun
ich streun
betreun
erfreun
(siehe **euen**)
(dazu **äun**)

eund

Freund
freund
zu neunt
er streunt
(dazu **äunt**)

eune

Scheune
alle neune
ich streune
(dazu **äune**)

eunen

streunen
zu neunen
die Scheunen
(dazu **äunen**)

euner

Neuner
Streuner
Zigeuner

eunt

(siehe **eund**)

eur (ör)

(siehe **ör**)

eure

der teure
der ungeheure
(siehe **euer**)
ich feure
ich steure
(siehe **euern**)
(dazu **äure**)

eurer

Abenteurer
Erneurer
eurer
teurer
ein ungeheurer
kein getreurer

eurig

eurig
feurig
heurig

eus

Preuß'
beim Zeus!
die Pneus
des Boys
(siehe **eu**)
ich betreu's
ich scheu's
(siehe **euen**)
(dazu **äus**)

eusch

keusch
(dazu **äusch**)

eusche

Keusche (Kate)
die keusche
(dazu **äusche**)

euschen

die Keuschen
die keuschen
(dazu **äuschen**)

euse

Geuse
Reuse
Schleuse
(dazu **äuse**)

euse (öse)

(siehe **öse**)

eusen

schleusen
die Geusen
die Reusen
die Schleusen
(dazu **äusen**)

eut

betreut
bestreut
keinen Deut
erneut
er gebeut (gebietet)
gescheut (gescheit)
heut
Pharmazeut
Therapeut
ungescheut
die Leut'
er erfreut
er betreut
(siehe **euen**)
ich deut
ich erbeut
(siehe **euten**)
(dazu **äut**)

eute

Beute
heute
die Leute
Meute
ich erneute
ich betreute
(siehe **euen**)
ich deute
ich erbeute
(siehe **euten**)
(dazu **äute**)

eutel

Beutel
ich beutel
ich deutel
(siehe **euteln**)

euteln

beuteln
ausbeuteln

216

verbeuteln
deuteln

euten

ausbeuten
deuten
erbeuten
reuten (roden)
sie streuten
sie scheuten
(siehe **euen**)
die Beuten
den Leuten
(siehe **eute**)
(dazu **äuten**)

euter

Deuter
Zeichendeuter
Euter
Reuter (Reiter)
ein wohlbetreuter
ein zerstreuter
(siehe **eut**)
(dazu **äuter**)

eutern

meutern
den Zeichendeutern
(siehe **euter**)
(dazu **äutern**)

eutig

heutig
unzweideutig
scheut' ich
streut' ich
(siehe **euen**)
deut ich
erbeut ich
(siehe **euten**)
(dazu **äutig**)

eutik

Hermeneutik
Mäeutik
Pharmazeutik
Propädeutik
Therapeutik

eutisch

pharmazeutisch
propädeutisch
therapeutisch

eutung

Bedeutung
Deutung
Vorbedeutung
(dazu **äutung**)

euung

Betreuung
Erneuung
Zerstreuung

euzchen

Kreuzchen
(dazu **äuzchen**)

euzen

bekreuzen
durchkreuzen
kreuzen
schneuzen
(dazu **äuzen**)

ex

(siehe **echs**)

ez

Duodez
Fez
stets
Trapez
wie geht's?
wie steht's?
ihr versteht's
(siehe **ehen**)
des Alphabets
des Beets
(siehe **et**)
ich knet's
ich vertret's
(siehe **eten**)

i

Akademie
Alchimie
Alibi
Amnestie
Anatomie
anno Domini
Anthologie
Apathie
Aristokratie
Artillerie
Astrologie
Astronomie
Autonomie
Batterie
Bel-Ami
Bigamie
Biographie
Biologie
Bonhomie
Bürokratie
Chassis
Chemie
mon chéri
ma chérie
Chirurgie
Chronologie
dernier cri
Demokratie
Despotie
die
on dit
Dynastie
Elegie
Empirie
Energie
Epidemie
Esprit
Etui
Felonie

Fotografie
Galerie
Garantie
Genealogie
Genie
Geographie
Geologie
Geometrie
Halali
Harmonie
Havarie
Hegemonie
hie
Hierarchie
hihi!
Hysterie
Idiotie
Industrie
Infant(e)rie
Ironie
Jalousie
Kakophonie
Kategorie
Kavallerie
kikeriki!
Knie
Kolibri
Kolonie
Kommis
Kompanie
Kopie
Krambambuli
Lethargie
Liturgie
Logis
Lotterie
Magie
Manie
Maquis
Marquis
Melancholie

Melodie
Menagerie
Mimikry
Monarchie
Monotonie
Mythologie
Nänie
nie
Ökonomie
Okuli
Orangerie
Orthographie
Parodie
Partie
Patschuli
Pedanterie
Phantasie
Phantasmagorie
Philharmonie
Philosophie
Physiognomie
Poesie
Polygamie
Pornographie
Potpourri
Prärie
Prophetie
Prüderie
Psychologie
Regeldetri
Regie
remis
Rhapsodie
Schi
sie
sieh!
Simonie
Sinfonie
Stenographie
Strategie
Sympathie
Szenerie
Telegraphie
Telepathie
Theologie
Theorie

Therapie
tirili!
Trilogie
Utopie
Vieh
vis-à-vis
wie
wie?
Zeremonie
Zoologie
er gedieh
er lieh
er schrie
er spie
er verzieh
(siehe **iehen**)

īb

(siehe **ieb**)

ibbeln

aufribbeln
dribbeln
kribbeln

ibel, iber

(siehe **iebel, ieber**)

ich

brich!
dich
Enterich
Gänserich
ich
. . . lich
   abendlich
   abenteuerlich
   adelig
   ärgerlich
   äußerlich
   bitterlich
   brüderlich

bürgerlich
ehelich
erinnerlich
ewiglich
feierlich
flehentlich
förderlich
fürchterlich
geflissentlich
gelegentlich
geschwisterlich
heimatlich
hinderlich
hoffentlich
innerlich
inniglich
jämmerlich
jugendlich
königlich
körperlich
kümmerlich
lächerlich
leserlich
liederlich
meisterlich
monatlich
morgendlich
mütterlich
namentlich
öffentlich
ordentlich
österlich _ PFIRSICH
priesterlich
ritterlich
säuberlich
schauerlich
sicherlich
sommerlich
sonderlich
unabänderlich
untadelig
väterlich
veränderlich
weihnachtlich
wesentlich
widerlich

winterlich
wissentlich
wöchentlich
wunderlich
zimperlich
züchtiglich
mich
Schlich
sich
sprich!
Stich
   Bienenstich
   Mückenstich
   Sonnenstich
   Spatenstich
Strich
   Bogenstrich
   Dohnenstrich
   Gedankenstrich
   Himmelsstrich
   Schnepfenstrich
Tatterich
Wegerich
Wüterich
ich glich
ich strich
(siehe **ichen**)

iche

die Schliche
die Liederliche
das Wesentliche
(siehe **ich**)
ich piche
ich gliche
(siehe **ichen**)

ichel

Gepichel
Gestichel
Gestrichel
Michel
Sichel
Stichel

icheln

picheln
sicheln
sticheln
stricheln
den Micheln
den Sicheln
den Sticheln

ichen

ausgeglichen
sie blichen
  erblichen
erschlichen
gewichen
sie glichen
pichen
sie schlichen
  umschlichen
sie strichen
verblichen
verehelichen
verewiglichen
veröffentlichen
verstrichen
verwichen
sie wichen
den Wüterichen
im wesentlichen
(siehe **ich**)

icher

Gekicher
sicher
ein königlicher
ein meisterlicher
(siehe **ich**)

ichern

kichern
sichern
versichern

ichs

brich's!
mich's
versprich's!
(siehe **echen**)

ichs (icks)

fix
Knicks
Kruzifix
Nix
nix
Wichs
des Blicks
des Geschicks
(siehe **ick**)

ichse (ickse)

Nixe
Schickse
Wichse
die Knickse
der fixe
(siehe **ichs**)
ich knickse
ich mixe
(siehe **ichsen**)

ichsen (icksen)

(heraus)ixen
knicksen
mixen
verwichsen
wichsen
den Knicksen
den Kruzifixen
die Nixen
die Schicksen

ichst

du brichst
du sprichst

du glichst
du schlichst
(siehe **ichsen**)

ichst (ickst)

gemixt
gewichst
herausgeixt
verflixt
du knickst (von knicken)
du knickst (von knicksen)

icht

Bericht
er besticht
er bricht
  unterbricht
  zerbricht
dicht
erpicht
er ficht
er flicht
es gebricht
Gedicht
Gericht
  Amtsgericht
  Weltgericht
Gesicht (Teil des Kopfes)
  Angesicht
Gesicht (Sinn)
Gesicht (Erscheinung)
  Nachtgesicht
  Traumgesicht
Gewicht
  Gleichgewicht
  Leichtgewicht
  Schwergewicht
Licht
  Dämmerlicht
  Himmelslicht
  Kerzenlicht
  Lebenslicht
  Rampenlicht
  Sonnenlicht

licht
nicht
Pflicht
Schicht
schlicht
Sicht
  Übersicht
er spricht
er sticht
Unterricht
er verficht
Vergißmeinnicht
Verzicht
Wicht
  Bösewicht
Zuversicht
ihr glicht
ihr schlicht
(siehe **ichen**)
ich bedicht
ich richt
(siehe **ichten**)

ichtchen

Gedichtchen
Geschichtchen
Gesichtchen
Lichtchen
Nichtchen
Wichtchen

ichte

Dichte
Fichte
Geschichte
Nichte
zunichte
ich pichte
ich veröffentlichte
die Gesichte
eine dichte
(siehe **icht**)
ich richte
ich schlichte
(siehe **ichten**)

ichten

abrichten
beipflichten
belichten
berichten
dichten (schreiben)
   bedichten
   erdichten
dichten (dicht machen)
   abdichten
   verdichten
entrichten
lichten (klären)
lichten (Anker)
mitnichten
richten
schichten
schlichten
sichten
unterrichten
vernichten
verpflichten
verrichten
verzichten
sie pichten
sie veröffentlichten
den Gedichten
den Lichten
die schlichten
(siehe **icht**)

ichter

Berichter
Dichter
Gelichter
Richter
Schlichter
Trichter
Vernichter
die Gesichter
die Lichter
dichter
schlichter
(siehe **icht**)

ichtet

abgedichtet
abgerichtet
gelichtet
gesichtet
vernichtet
verpflichtet
er richtet
er verzichtet
(siehe **ichten**)

ichtig

gewichtig
gichtig
nichtig
pflichtig
   steuerpflichtig
   wehrdienstpflichtig
   zahlungspflichtig
richtig
übersichtig
uneinsichtig
unnachsichtig
wichtig

ichtigen

berichtigen
beschwichtigen
besichtigen
bezichtigen
die nichtigen
die richtigen
(siehe **ichtig**)

ichtlich

absichtlich
ersichtlich
gerichtlich
geschichtlich
sichtlich
übersichtlich
zuversichtlich

ichts

angesichts
Habenichts
Taugenichts
nichts
des Lichts
er spricht's
(siehe **icht**)

ichtung

Belichtung
Dichtung
Errichtung
Lichtung
Richtung
Schichtung
Schlichtung
Sichtung
Verdichtung
Vernichtung
Verpflichtung
Verrichtung

ick

Augenblick
Blick
Bolschewik
Brigg
dick
Genick
Geschick
Gig
Knick
Mißgeschick
quick
Schick
schick
Schlick
Tick
Trick
Überblick
ich flick
ich knick
(siehe **icken**)

icke

Clique
Dicke
Ricke
Wicke
Zicke
die Blicke
eine schicke
(siehe **ick**)

ickel

Karnickel
Nickel
Pickel (Haue)
Pickel (Ausschlag)
Pumpernickel
Wickel
Zwickel
ich entwickel
ich vernickel
(siehe **ickeln**)

ickeln

entwickeln
prickeln
vernickeln
verwickeln
wickeln
den Pickeln
den Zwickeln
(siehe **ickel**)

icken

blicken
    erblicken
erquicken
ersticken
Flicken
flicken
klicken
knicken
nicken

picken
schicken
  beschicken
  verschicken
schnicken
spicken
sticken
stricken
ticken
umstricken
verdicken
verquicken
zwicken
den Blicken
den Stricken
(siehe **ick**)
die Dicken
die Zicken
(siehe **icke**)

ickend

bestrickend
erquickend
erstickend

icker

Beschicker
Kesselflicker
Kicker
Knicker
Nigger
Sticker
Stricker
Zwicker

ickerig

(siehe **ickrig**)

ickern

knickern
pickern
schlickern

sickern
  durchsickern
den Knickern
den Zwickern
(siehe **icker**)

ickert

durchgesickert
vermickert
versickert
er pickert
es sickert
(siehe **ickern**)

ickig

schlickig
stickig

icklich

augenblicklich
dicklich
schicklich
unerquicklich

ickrig

knick(e)rig
mick(e)rig
zwickrig

icks

(siehe **ichs**)

ickt

bespickt
Delikt
Distrikt
Edikt
erquickt
geknickt
geschickt

gespickt
gestrickt
Interdikt
Konflikt
Konvikt
Relikt
strikt
verdickt
Verdikt
verstrickt
verzwickt
er nickt
es tickt
(siehe **icken**)

ickung

Beschickung
Erquickung
Erstickung
Knickung
Schickung
Verdickung
Verschickung
Verschlickung
Verstrickung

id

(siehe **iet**)

ide

(siehe **iede**)

ieb

Betrieb
Dieb
ich fiep
gib!
Hieb
Jeep
lieb
piep!
ich piep

Prinzip
Schrieb
Sieb
Trieb
vergib!
Vertrieb
vorlieb
ich blieb
ich schrieb
(siehe **ieben**)

iebe

Geschiebe
Getriebe
Griebe
Liebe
die Diebe
die Hiebe
(siehe **ieb**)
ich beliebe
ich schiebe
(siehe **ieben**)

iebel

Bibel
fallibel
Fibel (Lesebuch)
Fibel (Spange)
flexibel
Giebel
penibel
plausibel
Schiebel
sensibel
terribel
Zwiebel

ieben

Belieben
belieben
sie blieben
durchtrieben
eingeschrieben

226

gerieben
sie hieben
lieben
  verlieben
schieben
  verschieben
schnieben
sie schrieben
  beschrieben
  unterschrieben
  verschrieben
sieben
  durchsieben
sieben (Zahl)
stieben
zerstieben
sie trieben
  betrieben
  hintertrieben
  übertrieben
übriggeblieben
vertrieben
den Trieben
die lieben
(siehe **ieb**)

ieber

Biber
Fiber
Fieber
Jelängerjelieber
Kaliber
Kassiber
mein Lieber!
lieber
Schieber
Stieber

iebig(ch)

beliebig
ergiebig
kiebig
nachgiebig
lieb ich

trieb ich
(siehe **ieben**)

ieblich

betrieblich
lieblich
verschieblich

iebsam

betriebsam
unliebsam

iebt

beliebt
geliebt
gesiebt
verliebt
es gibt
er piept
ihr hiebt
ihr triebt
(siehe **ieben**)

ieche

Grieche
der Sieche
ich krieche
ich rieche
(siehe **iechen**)

iechen

kriechen
  unterkriechen
  sich verkriechen
riechen
  beriechen
  erriechen
siechen
die Griechen
die Siechen

227

iecher

Kriecher
Riecher
die Viecher
ein siecher

ied

(siehe **iet**)

iede

Danaide
Druide
Friede
Hybride
Invalide
Karyatide
Nereide
perfide
Pyramide
Schmiede
solide
stupide
ich schmiede
ich siede
(siehe **ieden**)

iedel

Einsiedel
Fiedel
Liedel

iedeln

fiedeln
siedeln
  besiedeln
die Fiedeln
den Liedeln

ieden

befrieden
sie beschieden

entschieden
  unentschieden
Frieden
geschieden
hienieden
sie mieden
sie schieden
schmieden
sieden
verschieden (anders)
verschieden (tot)
zufrieden
  unzufrieden
die Invaliden
den Schmieden
(siehe **iede**)

ieder

bieder
Flieder
Gefieder
Mieder
nieder
  danieder
  hernieder
Seifensieder
wider
wieder
zuwider
die Glieder
die Lieder
die Lider
ein solider
(siehe **iet**)

iederlich

liederlich
widerlich

iedern

anbiedern
erwidern

gliedern
   angliedern
   eingliedern
den Gliedern
den Liedern
den Lidern
den solidern
(siehe **iet**)

iedert

angewidert
gefiedert
gegliedert
er erwidert
er gliedert
(siehe **iedern**)

iederung

Anbiederung
Erwiderung
Gliederung
Niederung
Zergliederung

iedler

Einsiedler
Fiedler
Siedler

iedlich

friedlich
(friedlich-)schiedlich
niedlich
unterschiedlich

iedrig

niedrig
vielgliedrig
widrig
   regelwidrig
   sittenwidrig

ieds

(siehe **iz**)

ie-en

(siehe **iehen**)

ief

aggressiv
Aktiv
aktiv
Aperitif
Archiv
corned beef
Brief
definitiv
Detektiv
exklusiv
impulsiv
intensiv
Kalif
lasziv
lukrativ
massiv
Mief
Motiv
naiv
Negativ
negativ
Objektiv
objektiv
offensiv
Positiv
positiv
primitiv
produktiv
qualitativ
relativ
Rezitativ
schief
Stativ
subjektiv
Tarif
Tief

tief
ich berief
ich schlief
(siehe **iefen**)

iefe

Griefe
Riefe
Tiefe
die Briefe
der schiefe
(siehe **ief**)
ich liefe
ich triefe
(siehe **iefen**)

iefel

Stiefel
Triefel

iefen

sie beriefen
sie liefen
sie riefen
schliefen (schlüpfen)
sie schliefen
triefen
verbriefen
vermiefen
vertiefen
den Briefen
die schiefen
(siehe **ief**)
die Oliven
die Tiefen
(siehe **iefe**)

iefer

der Kiefer
die Kiefer
Schiefer
Schliefer (Dachs)

ein schiefer
tiefer

iefern

liefern
die Kiefern (Bäume)
den Kiefern (Körperteile)
die tiefern

ieg

Krieg
Sieg
Stieg
ich lieg
ich stieg
ich schwieg
(siehe **iegen**)

iege

Fliege
Intrige
Riege
Schmiege
Stiege
Wiege
Ziege
die Kriege
die Siege
ich liege
ich stiege
(siehe **iegen**)

iegel

Eulenspiegel
Igel
Riegel
Siegel
Sigel
Spiegel
Striegel
Tiegel
Ziegel

iegeln

aufwiegeln
riegeln
  abriegeln
  verriegeln
schurigeln
siegeln
  besiegeln
  entsiegeln
  versiegeln
spiegeln
  widerspiegeln
striegeln
den Igeln
den Spiegeln
(siehe **iegel**)

iegelt

besiegelt
geschniegelt
gestriegelt
verriegelt
er riegelt
er spiegelt
(siehe **iegeln**)

iegen

biegen
fliegen
gediegen
kriegen (bekommen)
kriegen (streiten)
  bekriegen
liegen
  erliegen
  unterliegen
schmiegen
  anschmiegen
sie schwiegen
siegen
  besiegen
sie stiegen
  bestiegen

erstiegen
sie verschwiegen
verschwiegen (still)
versiegen
verstiegen
wiegen (mit der Wiege)
wiegen (mit der Waage)
den Kriegen
den Siegen
die Intrigen
die Stiegen
(siehe **iege**)

ieger

Flieger
Krieger
Schwieger
Sieger
Tiger

iegsam

biegsam
schmiegsam

iehe

siehe!
ich fliehe
ich kniee
(siehe **iehen**)

iehen

beziehen
entziehen
fliehen
sie gediehen
gediehen
knieen
sie liehen
sie schrieen
sie spieen
vollziehen
ziehen

231

sie ziehen (von zeihen)
den Knieen
die Demokratien
die Harmonien
(siehe **i**)

ieher

Bezieher
Erzieher
Gerichtsvollzieher
Gewieher
Korkenzieher

iehern

wiehern
den Beziehern
den Erziehern
(siehe **ieher**)

ieke

Antike
Budike
Pike
schnieke
ich pieke
ich quieke
(siehe **ieken**)

ieken

kieken
pieken
quieken
die Budiken
die schnieken
(siehe **ieke**)
die Fabriken
die Kritiken
(siehe **ik**)

iel

agil
Automobil

Brasil
diffizil
Domizil
Exil
Fossil
infantil
Kiel
  Federkiel
Konzil
Krokodil
labil
mobil
Nil
Priel
Profil
Reptil
Seal
senil
servil
Sex-Appeal
Siel
skurril
Spiel
  Farbenspiel
  Mienenspiel
  Trauerspiel
stabil
steril
Stil
  Jugendstil
subtil
Ventil
viel
  zuviel
Ziel
Zivil
zivil
ich fiel
ich ziel
(siehe **ielen**)

iele

Diele
Gespiele
Lokomobile

Schwiele
Siele
die Stile
das Subtile
am Ziele
viele
(siehe **iel**)
ich fiele
ich ziele
(siehe **ielen**)

ielen

dielen
sie fielen
  entfielen
  verfielen
  zerfielen
schielen
sich sielen
spielen
zielen
den Automobilen
die vielen
(siehe **iel**)
die Gespielen
in den Sielen (sterben)
(siehe **iele**)

ieler

Schieler
Spieler
vieler
ein subtiler
(siehe **iel**)

ielt

gedielt
gespielt
gestielt
gezielt
er hielt
  behielt
verspielt

ihr fielt
er stiehlt
(siehe **ielen**)

iem

Cherubim
ihm
intim
legitim
maritim
Pfriem
Priem
Prim
Regime
Seraphim
sublim
Team

ieme

Dieme
Kieme
Maxime
Mime
Pantomime
Prime
Strieme
das Intime
die legitime
(siehe **iem**)
ich mime
ich prieme
(siehe **iemen**)

iemen

Diemen
mimen
Pfriemen
priemen
Riemen
Striemen
ziemen
  geziemen
den Regimen

233

die sublimen
(siehe **iem**)
die Kiemen
die Mimen
(siehe **ieme**)

iemer

Riemer
Steamer
Ziemer
  Ochsenziemer
ein intimer
ein legitimer
(siehe **iem**)

ien

alpin
Aspirin
Baldachin
Benjamin
Delphin
DIN
Disziplin
Doktrin
gediehn
geliehn
Harlekin
Hermelin
ihn
Insulin
Jasmin
Kamin
Kanin
Karmin
Kien
Magazin
Mandarin
Medizin
Nikotin
Offizin
Paladin
Pepsin
Pinguin
Rosmarin

Rubin
Ruin
Sacharin
es schien
sie spien
Spleen
Stearin
Strychnin
submarin
Tamburin
Termin
Terpentin
Turmalin
Ultramarin
ultramarin
verschrien
fliehn
ziehn
(siehe **iehen**)
die Harmonien
die Melodien
(siehe **i**)

ienchen

Bienchen
Cousinchen
Gardinchen
Kaninchen
Sabinchen
Schienchen

iene

Apfelsine
Beduine
Biene
Blondine
Brahmine
Gardine
Gelatine
Georgine
Guillotine
Heroine
Kabine
Kantine

234

Konkubine	verdienen
Krinoline	verminen
Latrine	die Ruinen
Lawine	den Kaminen
Lupine	(siehe **ien**)
Mandarine	die Bienen
Mandoline	die Mienen
Margarine	(siehe **iene**)
Marine	
Maschine	
Melusine	**iener**
Miene	Augustiner
Mine	Berliner
Pantine	Bernhardiner
Pelerine	Diener
Rosine	Florentiner
Routine	Jakobiner
Ruine	Kapuziner
Saline	Karabiner
Sardine	Mariner
Schiene	Mediziner
Serpentine	Rabbiner
Sonatine	Schlawiner
Terrine	Verdiener
Terzine	ein geliehner
Turbine	ein verschriener
Undine	(siehe **ien**)
Violine	
Vitrine	
Zechine	**ienst**
die Delphine	Dienst
die Magazine	das Verdienst
(siehe **ien**)	der Verdienst
ich diene	du schienst
ich schiene	du grienst
(siehe **ienen**)	(siehe **ienen**)

ienen	**ient**
dienen	bedient
bedienen	geschient
grienen	verdient
ihnen	vermint
rubinen	er dient
schienen (Schienen anlegen)	er grient
sie schienen (von scheinen)	(siehe **ienen**)

iep

(siehe **ieb**)

iepe

Gefiepe
Gepiepe
Kiepe
Piepe (Pfeife)
piepe (gleichgültig)
ich fiepe
ich piepe

iepen

fiepen
piepen
die Kiepen
die Piepen

iept

(siehe **iebt**)

ier

Barbier
Begier
Bier
Brevier
dir
Elixier
Fakir
Furier
Furnier
Füselier
Geschmier
Getier
Gezier
Grenadier
hier
ihr
Juwelier
Kanonier
Kassier(er)

Kavalier
Klavier
Klistier
Kürassier
Kurier
Malvasier
Manier
mir
Musketier
Offizier
Panier
Papier
Passagier
Pier
Pionier
Pläsier
Polier
Rapier
Revier
Saphir
Scharnier
schier
Sire
Skapulier
Souvenir
Spalier
Stier
Tier
Turnier
Vampir
vier
Visier
wir
Zier
ich frankier
ich frier
(siehe **ieren**)

ierchen

Bierchen
Kavalierchen
Nierchen
Papierchen
Pläsierchen
Tierchen

ierde

Begierde
Zierde

iere

Miere
Niere
Satire
Schmiere
Spiere
beim Biere
die Tiere
(siehe **ier**)
ich marschiere
ich verliere
(siehe **ieren**)

ieren

abonnieren
absorbieren
addieren
adoptieren
adressieren
akzeptieren
alarmieren
amüsieren
animieren
annektieren
annullieren
antichambrieren
appellieren
applaudieren
apportieren
arretieren
attackieren
autorisieren
balsamieren
blamieren
blockieren
bombardieren
botanisieren
bramarbasieren
buchstabieren

bugsieren
charakterisieren
datieren
debütieren
definieren
degradieren
deklamieren
deklarieren
deklinieren
dekorieren
dekretieren
dementieren
demittieren
demonstrieren
deponieren
desertieren
diktieren
dinieren
dirigieren
diskutieren
dispensieren
disponieren
disputieren
dokumentieren
dominieren
dozieren
dramatisieren
drangsalieren
dressieren
duellieren
elektrisieren
emanzipieren
engagieren
erlustieren
etablieren
evakuieren
exaltieren
examinieren
exerzieren
existieren
expedieren
experimentieren
explodieren
exportieren
fabrizieren
fabulieren

fieren
figurieren
filtrieren
fingieren
fixieren
florieren
forcieren
formulieren
fotografieren
frankieren
frieren
  erfrieren
  gefrieren
fungieren
funktionieren
galoppieren
garantieren
garnieren
gastieren
genieren
gestikulieren
gieren
glossieren
grassieren
gratulieren
gruppieren
halbieren
hantieren
harmonieren
hausieren
honorieren
hypnotisieren
identifizieren
ignorieren
illuminieren
illustrieren
imponieren
importieren
improvisieren
infizieren
informieren
inserieren
inspirieren
instruieren
inszenieren
interessieren

internieren
interpellieren
interpretieren
irritieren
isolieren
jonglieren
jubilieren
kampieren
kandidieren
kandieren
kapieren
kapitulieren
karikieren
kassieren
kollidieren
kolorieren
kolportieren
kombinieren
kommandieren
kompensieren
komponieren
kondolieren
konfirmieren
konkurrieren
konservieren
konstatieren
konstruieren
konsultieren
konzentrieren
konzertieren
kopieren
korrigieren
krepieren
kritisieren
kultivieren
kurieren
laborieren
lackieren
lamentieren
lavieren
legieren
liquidieren
markieren
marschieren
massieren
memorieren

mobilisieren
modulieren
monieren
motivieren
musizieren
negieren
nivellieren
notieren
numerieren
okkupieren
okulieren
operieren
opponieren
organisieren
orientieren
parieren
parodieren
passieren
pausieren
pensionieren
phantasieren
philosophieren
photokopieren
pikieren
planieren
pokulieren
polemisieren
polieren
präparieren
präsentieren
probieren
produzieren
profitieren
projektieren
projizieren
proklamieren
promenieren
protestieren
provozieren
prozessieren
publizieren
punktieren
quittieren
radieren
rasieren
reagieren

realisieren
rebellieren
redigieren
referieren
reflektieren
regieren
renommieren
renovieren
reparieren
repräsentieren
requirieren
reservieren
residieren
restaurieren
resümieren
retuschieren
revidieren
revoltieren
rezensieren
rezitieren
riskieren
rivalisieren
ruinieren
sabotieren
salutieren
sanieren
schikanieren
schmieren
   beschmieren
   verschmieren
schnabulieren
schockieren
schwadronieren
sekundieren
servieren
sezieren
signieren
skalpieren
skizzieren
sortieren
soupieren
spazieren
spekulieren
spintisieren
spionieren
stagnieren

statuieren
stieren
strapazieren
studieren
subskribieren
suggerieren
summieren
sympathisieren
synchronisieren
tätowieren
taxieren
triumphieren
unterminieren
verklausulieren
verlieren
vertieren
visieren
wattieren
zedieren
zieren
  verzieren
zitieren
die Manieren
den Tieren
zu Vieren
auf allen vieren
(siehe **ier**)

ierend

alarmierend
balancierend
dominierend
existierend
imponierend
regierend
(siehe **ieren**)

ierer

Hausierer
Kassierer
Lackierer
Polierer
Schmierer
Sektierer

Tapezierer
Verlierer
Vierer

ierig

begierig
  wißbegierig
gierig
ihrig
schlierig
schmierig
schwierig

ierlich

genierlich
manierlich
possierlich
reputierlich
respektierlich
zierlich

iert

affektiert
alliiert
arriviert
autorisiert
blamiert
borniert
disponiert
dressiert
exaltiert
fingiert
fundiert
garantiert
sie gebiert
(wie) geschmiert
Geviert
geziert
illustriert
isoliert
koloriert
kompliziert
konsterniert

240

kultiviert
lädiert
manieriert
möbliert
passioniert
pensioniert
pikiert
raffiniert
ramponiert
renommiert
routiniert
saniert
es schiert
studiert
ungeniert
unmotiviert
versiert
vertiert
er diktiert
er verliert
(siehe **ieren**)

ierung

Einquartierung
Einstudierung
Evakuierung
Formulierung
Frankierung
Garnierung
Hantierung
Isolierung
Konservierung
Lackierung
Legierung
Liquidierung
Markierung
Mobilisierung
Motivierung
Negierung
Notierung
Radierung
Regierung
Renovierung
Sanierung
Schattierung

Tätowierung
Verzierung
Vierung
(siehe **ieren**)

ies (ieß)

Anis
Avis
ich bewies
ich blies
dies
fies
Fließ
Fries
Grieß
Kies
Kris
lies!
mies
Paradies
Service
Spieß
Verlies
Vlies
wie's
des Genies
des Knies
(siehe **i**)
ich blies
ich pries
(siehe **iesen**)
ich gieß
ich ließ
(siehe **ießen**)

iese

Biese
Devise
diese
Fliese
Friese
Krise
Markise
Marquise

Prise
Remise
Riese
Wiese
die Paradiese
die Verliese
(siehe ies)
ich bewiese
ich erkiese
(siehe iesen)

die miesen
(siehe ies)
die Devisen
die Wiesen
(siehe iese)

ießen

beschließen
Blutvergießen
sich entschließen
fließen
  verfließen
  zerfließen
genießen
gießen
  begießen
  ergießen
  vergießen
sie hießen
sie ließen
  verließen
Schießen
  Scheibenschießen
  Vogelschießen
schießen
  beschießen
  verschießen
schließen
  abschließen
  aufschließen
  erschließen
  verschließen
spießen
  aufspießen
sprießen
  entsprießen
sie stießen
verdrießen
sie verhießen

ieße

am Spieße
ich hieße
ich schieße
(siehe ießen)

iesel

Diesel
Friesel
Geriesel
Kiesel
Liesel
Stiesel
Wiesel

ieseln

grieseln
kriseln
rieseln
den Kieseln
den Wieseln

iesen

sie bewiesen
sie bliesen
diesen
erkiesen
gepriesen
sie priesen
sie wiesen
den Paradiesen

ießer

Genießer
Gießer
Kannegießer

Schließer
  Beschließer
  Logenschließer
  Türenschließer
Spießer

iesig

diesig
hiesig
riesig

ießlich

ausschließlich
einschließlich
ersprießlich
schließlich
verdrießlich

iest (ießt)

Biest
ihr bewiest
ihr bliest
er erkiest
(siehe **iesen**)
es fließt
er schießt
es verdrießt
(siehe **ießen**)

ießung

Beschießung
Eheschließung
Entschließung
Herzensergießung

iet

Appetit
Aquavit
Bandit
Biskuit
Dolomit

Dynamit
Eremit
Favorit
Gebiet
es geschieht
Glied
Granit
gravid
Hermaphrodit
Jesuit
Kolorit
Kosmopolit
Kredit
Levit
Lid
Lied
  Abendlied
  Liebeslied
  Morgenlied
morbid
Parasit
perfid
Profit
Proselyt
Requisit
Ried
Satellit
Schiet
Schmied
  Pläneschmied
  Ränkeschmied
Semit
er sieht
solid
splendid
Störenfried
stupid
à la suite
Unterschied
Zenit
ich mied
ich schmied
(siehe **ieden**)
er flieht
er zieht
(siehe **iehen**)

243

ich briet
ich verriet
(siehe **ieten**)

iete

Amphitrite
Aphrodite
Elite
Miete
Niete
Suite
Termite
Visite
die Gebiete
die Profite
(siehe **iet**)
ich biete
ich miete
(siehe **ieten**)

ieten

Anerbieten
gebieten
bieten
  sich erbieten
  überbieten
  unterbieten
sie brieten
sie gerieten
sie knieten
mieten
  vermieten
nieten
die Riten
sie rieten
  berieten
verbieten
sie verrieten
die Jesuiten
den Profiten
(siehe **iet**)
die Mieten
die Visiten
(siehe **iete**)

ieter

Bieter
Gebieter
Liter
Mieter
  Untermieter
  Vermieter
Samariter

iets

(siehe **iz**)

ietschen

knietschen
quietschen

ietung

Ehrerbietung
Vermietung

iezen

siezen
striezen
triezen
die Miezen
die Notizen
(siehe **iz**)
die Komplicen
die Novizen
(siehe **ize**)

iff

Begriff
Griff
Inbegriff
Kliff
Kniff
Riff
Schiff
Schliff

244

Übergriff
ich pfiff
ich schiff
(siehe **iffen**)

iffel

Griffel
Riffel

iffen

abgegriffen
angegriffen
sie begriffen
geschliffen
sie griffen
inbegriffen
sie kniffen
sie pfiffen
schiffen
sie schliffen
ungeschliffen
verkniffen
den Griffen
den Riffen
(siehe **iff**)

iffer

Chiffer
Schiffer
Ziffer

iffern

beziffern
entziffern
die Chiffern
den Schiffern
die Ziffern

iffig(ch)

griffig
pfiffig

schliffig
kniff ich
schiff ich
(siehe **iffen**)

ifflich

begrifflich
knifflich

ift

Drift
Gift
Lift
Schrift (Geschriebenes)
  Überschrift
  Unterschrift
Schrift (Schriftwerk)
  Klageschrift
  Werbeschrift
das Stift
der Stift (Nagel)
der Stift (Lehrling)
Trift
Vorschrift
ihr begrifft
er schifft
(siehe **iffen**)
ich beschrift
ich schifft'
(siehe **iften**)

iften

beschriften
entgiften
sich giften
sie schifften
stiften (schenken)
stiften gehen (ausreißen)
vergiften
den Schriften
den Stiften
(siehe **ift**)

iftig

giftig
triftig

iftung

Beschriftung
Stiftung
Vergiftung

ĭg

(siehe **ick**)

ik

antik
Aspik
Domestik
Fabrik
Kritik
Mathematik
Mosaik
Musik
Physik
Pik
Politik
publik
Replik
Republik
Rubrik
Teak

ike

(siehe **ieke**)

ikel

Artikel
Aurikel
Matrikel
Partikel
Perpentikel
Vehikel

iken

(siehe **ieken**)

ikt

(siehe **ickt**)

il

(siehe **iel**)

ild

(siehe **ilt**)

ilde

Gebilde
Gefilde
Gilde
Milde
milde
im Bilde
im Schilde
der Wilde
(siehe **ilt**)

ilden

bilden
einbilden
den Schilden
die Wilden
die milden
(siehe **ilt**)
den Gebilden
die Gilden
(siehe **ilde**)

ilder

die Bilder
die Schilder
milder
wilder
ich schilder

ildern

bebildern
mildern
schildern
verwildern
wildern
den Bildern
den Schildern
die mildern
die wildern

ilderung

Bebilderung
Milderung
Schilderung
Verwilderung

ildnis

Bildnis
Wildnis

ilf

hilf!
Schilf

ilfe

Hilfe
im Schilfe

ilie

Familie
Homilie
Lilie
Petersilie
Vigilie

ilien

die Domizilien
die Fossilien

die Imponderabilien
die Immobilien
die Konzilien
die Mobilien
die Textilien
die Vegetabilien
die Utensilien
die Familien
die Lilien
(siehe **ilie**)

ill

April
Bill
Dill
Drill
Grill
Kodizill
Mandrill
Pasquill
schrill
Spill
still
ich will

illa

Gorilla
Kamarilla
Villa

ille

Brille
Destille
Grille
Kamille
Kokille
Pastille
Pille
Postille
Promille
pro mille
Pupille
Rille

Stille
Tonsille
Widerwille
Wille
Zille
die Pasquille
der stille
der schrille
(siehe **ill**)
ich drille
ich stille
(siehe **illen**)

ille (i|e)

Flottille
Mantille
Quadrille
Vanille

illen

die Bazillen
drillen
grillen
killen
quillen
rillen
schrillen
stillen
die Villen
Willen
den Pasquillen
die schrillen
(siehe **ill**)
die Grillen
die Kamillen
(siehe **ille**)

iller

Killer
Thriller
Triller
ein schriller
ein stiller

illern

killern
schillern
trillern

illich(g)

billig
Drillich
grillig
willig
   eigenwillig
   freiwillig
   unfreiwillig
Zwillich
will ich
drill ich
(siehe **illen**)

illigen

bewilligen
verbilligen
die grilligen
die willigen
(siehe **illich**)

ilt

bebrillt
Bild
   Ebenbild
   Götterbild
Gebild
gedrillt
Gefild
gerillt
gestillt
   ungestillt
gewillt
es gilt
mild
Schild
er schilt
es schwillt

Sild
er vergilt
Wild
wild
er drillt
er stillt
(siehe **illen**)

ilz

Filz
Milz
Pilz
da quillt's
er stillt's
(siehe **illen**)
des Bilds
was gilt's
(siehe **ilt**)

īm

(siehe **iem**)

imm

Benimm
bim bim!
Grimm
Isegrim
Klimbim
nimm!
schlimm
vernimm!
ich bestimm
ich schwimm
(siehe **immen**)

imme

Imme
Kimme
Stimme
im Grimme
der schlimme
(siehe **imm**)

ich ergrimme
ich erklimme
(siehe **immen**)

immel

Bimmel
Fimmel
Gebimmel
Gewimmel
Himmel
Schimmel
ich bimmel
ich verhimmel
(siehe **immeln**)

immeln

bimmeln
fimmeln
anhimmeln
verhimmeln
schimmeln
wimmeln

immen

bestimmen
ergrimmen
erklimmen
glimmen
verglimmen
schwimmen
stimmen
trimmen
vertrimmen
verschwimmen
verstimmen
die schlimmen
die Immen
die Stimmen
(siehe **imme**)

immer

Flimmer
Frauenzimmer

249

Geflimmer
Gewimmer
Glimmer
immer
Krimmer
nimmer
Schimmer
schlimmer
Schwimmer
Stimmer
Trimmer
Zimmer

immern

flimmern
glimmern
schimmern
  verschimmern
verschlimmern
wimmern
zimmern
den Frauenzimmern
den Schwimmern
(siehe **immer**)

immig

grimmig
tausendstimmig
bestimm ich
schwimm ich
(siehe **immen**)

imms, immt

(siehe **ims, imt**)

immung

Bestimmung
Erklimmung
Kimmung
Stimmung
Verstimmung

impel

Gimpel
simpel
Wimpel

imper

Geklimper
Wimper

impern

klimpern
die Wimpern

impf

Geschimpf
Glimpf
Schimpf
ich impf
ich schimpf
(siehe **impfen**)

impfen

impfen
schimpfen
verunglimpfen

ims

Sims
ich bestimm's
nimm's!
(siehe **immen**)

imt

bestimmt
ergrimmt
getrimmt
überstimmt
Zimt
er nimmt
er schwimmt
(siehe **immen**)

īn

(siehe **ien**)

ĭn

(siehe **inn**)

in (äng)

Bassin
Chagrin
Gamin
Gobelin
Kretin
Mannequin
Ragoût fin
Satin
(dazu **ain, eint**)

ina

Angina
Ballerina
Berolina
China
Okarina
Palästina

ind

(siehe **int**)

inde

Angebinde
Binde
Gebinde
gelinde
geschwinde
Gesinde
Gewinde
Hinde
Linde
Rinde
Winde
der Blinde

dem Kinde
im Spinde
die Winde
(siehe **int**)
ich binde
ich finde
(siehe **inden**)

indel

Gesindel
Schindel
Schwindel
Spindel
Windel
ich schwindel

indeln

schwindeln
die Spindeln
die Windeln
(siehe **indel**)

inden

abfinden
Befinden
befinden
binden
　anbinden
　entbinden
　verbinden
empfinden
entrinden
erblinden
erfinden
finden
schwinden
　entschwinden
　verschwinden
überwinden
verwinden
winden
die Blinden
den Winden

die geschwinden
(siehe **int**)
die Binden
die Linden
(siehe **inde**)

inder

Besenbinder
Binder (Schleife)
Binder (Feldmaschine)
Erfinder
Finder
(nicht) minder
Schinder
Überwinder
Zylinder
ein Blinder
die Kinder
gelinder
(siehe **int**)

indern

hindern
  behindern
  verhindern
lindern
mindern
  vermindern
den Kindern
die geschwindern
(siehe **int**)
den Erfindern
den Überwindern
(siehe **inder**)

indert

behindert
herabgemindert
verhindert
vermindert
er hindert
er lindert
(siehe **indern**)

inderung

Behinderung
Linderung
Verminderung

indest

zumindest
du bindest
du findest
(siehe **inden**)

indheit

Blindheit
Kindheit

indig

ausfindig
findig
grindig
windig

indlich

befindlich
empfindlich
  unempfindlich
kindlich
unerfindlich
unüberwindlich
verbindlich
  unverbindlich

indung

Bindung
Empfindung
Entbindung
Erblindung
Erfindung
Überwindung
Urteilsfindung
Windung

ine, iner

(siehe **iene, iener**)

ing

Dichterling
Ding
gering
Pfifferling
Ring
Schmetterling
Sonderling
Thing
ich fing
ich sing
(siehe **ingen**)

inge

Gedinge
Klinge
Schlinge
Schwinge
Syringe
Zwinge
die Dinge
die Ringe
(siehe **ing**)
ich ginge
ich springe
(siehe **ingen**)

ingel

Geklingel
Geningel
Klingel
Kringel
Schlingel

ingeln

klingeln
kringeln
ningeln
ringeln
umzingeln

die Klingeln
den Schlingeln
(siehe **ingel**)

ingen

bedingen
   ausbedingen
bringen
   anbringen
   aufbringen
   hinbringen
   überbringen
   unterbringen
dingen
   verdingen
dringen
   eindringen
sie empfingen
sie fingen
gelingen
sie gingen
   begingen
   entgingen
   übergingen
   vergingen
   zergingen
sie hingen
klingen
   erklingen
   verklingen
mißlingen
ringen
schlingen
   umschlingen
   verschlingen
schwingen
singen
   besingen
springen
   entspringen
   umspringen
   zerspringen
umbringen
umringen
verbringen

253

vollbringen
wringen
zubringen
zwingen
  bezwingen
  niederzwingen
den Schmetterlingen
die geringen
(siehe **ing**)
die Klingen
die Schwingen
(siehe **inge**)

ingend

bezwingend
dringend
händeringend
zwingend
(siehe **ingen**)

inger

Bezwinger
Bringer
  Freudebringer
Finger
Meistersinger
Ringer
Schwinger (Boxschlag)
Schwinger (Schwingender)
  Fahnenschwinger
  Keulenschwinger
Zwinger
die Dinger
geringer
(siehe **ing**)

ingern

schlingern
verringern
den Dingern
die geringern
(siehe **ing**)
den Bezwingern

den Fingern
(siehe **inger**)

inglich

dinglich
dringlich
erschwinglich
  unerschwinglich
undurchdringlich
unwiederbringlich

ings

Dings
. . . dings
  allerdings
  neuerdings
  schlechterdings
des Rings
des Schmetterlings
(siehe **ing**)
ich fing's
da ging's
vollbring's!
(siehe **ingen**)

ingsten

Pfingsten
die geringsten

ingt

bedingt
  unbedingt
beschwingt
es mißlingt
er singt
(siehe **ingen**)

ingung

Bedingung
Erringung
Schwingung
Unterbringung

Verdingung
Verschlingung

inie

Linie
Pinie

inig

geradlinig
spleenig

inisch

alpinisch
apollinisch
augustinisch
florentinisch
jakobinisch
klinisch
medizinisch
paulinisch
sanguinisch
zynisch

ink

Drink
Fink
flink
link(s)
pink, pink!
Wink
Zink
ich hink
ich trink
(siehe **inken**)

inke

Gewinke
Klinke
Linke
Pinke(-pinke)
Schminke
Zinke

die Winke
der flinke
ich blinke
ich winke
(siehe **inken**)

inkel

(ein feiner) Pinkel
Winkel

inken

blinken
hinken
klinken
Schinken
schminken
sinken
    versinken
stinken
trinken
    sich betrinken
    ertrinken
verzinken
winken
die Finken
die flinken
(siehe **ink**)
die Klinken
zur Linken
(siehe **inke**)

inker

Klinker
Trinker
Winker
ein flinker
ein linker

inks

links
Sphinx
des Drinks
des Winks

255

ich trink's
trink's!

inkt

ausgeklinkt
Instinkt
ungeschminkt
er trinkt
er winkt
(siehe **inken**)

inn
CRIN
Beginn
ich bin
Gewinn
Gin
hin
  dahin
  dorthin
  immerhin
  ohnehin
  umhin
  vorhin
  wohin
in
Kinn
Königin
. . . rin
  Arbeiterin
  Bäuerin
  Buhlerin
  Dienerin
  Kellnerin
  Kennerin
  Künstlerin
  Lehrerin
  Lügnerin
  Malerin
  Meisterin
  Müllerin
  Schäferin
  Schneiderin
  Schuldnerin
  Schwägerin

Schwätzerin
Schwindlerin
Spinnerin
Weberin
Wöchnerin
Sinn
  Doppelsinn
  Eigensinn
  Widersinn
Zinn
ich beginn
ich gewinn
(siehe **innen**)

inne

Finne
(ich werde) inne
Minne
Pinne
Rinne
Spinne
Zinne
am Kinne
im Sinne
(siehe **inn**)
ich minne
ich spinne
(siehe **innen**)

innen

beginnen
binnen
drinnen
entrinnen
sich entspinnen
gerinnen
gewinnen
von hinnen
innen
Linnen
minnen
rinnen
sinnen
  besinnen
  sich entsinnen

ersinnen
spinnen
zerrinnen
die Bäuerinnen
von Sinnen
(siehe **inn**)
die Rinnen
die Zinnen
(siehe **inne**)

inner

Gewinner
Spinner (Phantast)
Spinner (Raupe)

innern

erinnern
im Innern
zinnern
den Gewinnern
den Spinnern

innig(ch)

finnig
innig
  herzinnig
minnig
schlechthinnig
sinnig
. . . sinnig
  blödsinnig
  doppelsinnig
  eigensinnig
  hintersinnig
  widersinnig
spinnig
bin ich
entrinn ich
ich besinn mich
(siehe **innen**)

inns, innst, innt

(siehe **ins, inst, int**)

innts

(siehe **inz**)

innung

Besinnung
Gerinnung
Gesinnung
Gewinnung
Innung

ino

Albino
Bambino
Kasino
Kino

ins

Zins
ich bin's
des Gewinns
(siehe **inn**)
ich beginn's
ich ersinn's
(siehe **innen**)

inse

Binse
Linse
Plinse
ich grinse
ich verzinse
(siehe **insen**)

insel

Gepinsel
Gerinnsel
Gewinsel
Insel
Pinsel
  Einfaltspinsel

ich pinsel
ich winsel

inseln

pinseln
winseln
die Inseln
den Pinseln

insen

grinsen
zinsen
  verzinsen
.die Zinsen
die Binsen
(siehe **inse**)

inst

Gespinst
Gewinst
er grinst
er verzinst
du besinnst
du entrinnst
(siehe **innen**)

inster

finster
Ginster

int

Absinth
Angebind
blind
Flint
gelind
geschwind
gesinnt
  gleichgesinnt
  wohlgesinnt
Grind

Kind
  Sonntagskind
  Sorgenkind
  Wickelkind
Labyrinth
lind
Rind
sie sind
Spind
Stint
Wind
ich empfind
verschwind!
(siehe **inden**)
er entrinnt
er ersinnt
(siehe **innen**)

inte

Finte
Flinte
Hyazinthe
Korinthe
Printe
Quinte
Tinte
ich minnte
die Labyrinthe
der wohlgesinnte
(siehe **int**)

inten

hinten
sie minnten
die Gleichgesinnten
den Labyrinthen
(siehe **int**)
die Finten
die Hyazinthen
(siehe **inte**)

inter

hinter
  dahinter

Sinter
Sprinter
Winter
ein gutgesinnter

inz

Minz
  Pfefferminz
Prinz
Provinz
beginnt's
er ersinnt's
(siehe **innen**)
des Kinds
des Labyrinths
sie sind's
(siehe **int**)

īp

(siehe **ieb**)

ĭp

(siehe **ipp**)

ipfel

Gipfel
Kipfel
Wipfel
Zipfel

ipp

Flip
Klipp (Clip)
Stipp
Tip
Trip
das Geripp'
die Lipp'
(siehe **ippe**)
ich kipp
ich nipp
(siehe **ippen**)

ippe

Gerippe
Grippe
Hippe
Kippe
Klippe
Krippe
Lippe
Rippe
Schippe
Schrippe
Sippe
Strippe
Wippe
Xanthippe
ich schippe
ich wippe
(siehe **ippen**)

ippeln

kippeln
schnippeln
tippeln
trippeln

ippen

kippen
nippen
schippen
schnippen
schwippen
stippen
tippen
wippen
die Lippen
die Sippen
(siehe **ippe**)

ipper

Kipper
Klipper
Schipper

ippst, ippt
(siehe **ipst, ipt**)

ips

Fips
Gips
Grips
Knips
Pips
Rips
Schlips
Schwips
Stips
des Flips
des Klipps
(siehe **ipp**)
ich kipp's
ich wipp's
(siehe **ippen**)
ich knips
ich vergips
(siehe **ipsen**)

ipsen

beschwipsen
gipsen
knipsen
schnipsen
vergipsen
den Schlipsen
den Schwipsen

ipst

bedripst
beschwipst
vergipst
du kippst
du tippst
(siehe **ippen**)
er knipst
er schnipst
(siehe **ipsen**)

ipt

eingestippt
gerippt
getippt
Manuskript
umgekippt
er nippt
er schippt
(siehe **ippen**)

ir
(siehe **ier**)

irb

erwirb!
Gezirp
stirb!
verdirb!
wirb!

irbel

Wirbel
Zirbel

irbeln

wirbeln
zwirbeln
den Wirbeln
den Zirbeln

irbt

er zirpt
er erwirbt
er stirbt
(siehe **irb**)

ird
(siehe **irt**)

irgend

irgend
nirgend

irk

Bezirk
ich wirk
(siehe **irken**)

irke

Birke
die Bezirke
ich wirke
(siehe **irken**)

irken

bewirken
einbezirken
verwirken
wirken
zerwirken
den Bezirken
die Birken

irkt

gewirkt
   golddurchwirkt
umzirkt
verwirkt
er wirkt
(siehe **irken**)

irm

firm
Schirm

irmen

firmen
schirmen
den Schirmen

irmes

Kirmes
des Schirmes
ein firmes

irmt

beschirmt
gefirmt

irn

Birn'
Dirn
Firn
firn
Gehirn
Gestirn
Hirn
Stirn
Zwirn

irne

Birne
Dirne
Stirne
ich kirne
ich zwirne
die Firne
die Gestirne
(siehe **irn**)

irnen

kirnen
zwirnen
den Firnen
den Stirnen
(siehe **irn**)
die Birnen
die Dirnen
(siehe **irne**)

irnt

bestirnt
überfirnt

irps

Knirps
erwirb's
verdirb's

irr

Geklirr
Geschirr
Geschwirr
Gewirr
irr
wirr
ich schirr
ich verwirr
(siehe **irren**)

irre

Geklirre
Geschwirre
Gewirre
irre
kirre
die Geschirre
der Irre
(siehe **irr**)
ich entwirre
ich schwirre
(siehe **irren**)

irren

entwirren
flirren
girren
irren
  beirren
  verirren
kirren

klirren
schirren
  anschirren
schwirren
  abschwirren
  umschwirren
sirren
verwirren
den Geschirren
die Irren
(siehe **irr**)

irrst, irrt

(siehe **irst, irt**)

irsch

Hirsch
Kirsch
Pirsch
wirsch
ich knirsch
ich pirsch

irsche

Kirsche
die Hirsche
ich knirsche
ich pirsche

irschen

knirschen
pirschen
den Hirschen
die Kirschen

irst

First
du wirst
du irrst
du schwirrst
(siehe **irren**)

irt

angeschirrt
Hirt
umgirrt
unbeirrt
verirrt
verwirrt
er wird
Wirt
er irrt
es klirrt
(siehe **irren**)

irte

Hirte
ich bewirte
ich irrte
ich schwirrte
(siehe **irren**)
die Wirte
der Verirrte
(siehe **irt**)

irten

bewirten
sie irrten
sie girrten
(siehe **irren**)
die Hirten
den Wirten
(siehe **irt**)

is (iß)

Ärgernis
bis
Biß
Bitternis
Finsternis
friß!
Gebiß
Genesis
gewiß
  ungewiß

Hindernis
iß!
Kommiß
Kompromiß
Miß
Narziß
Nemesis
Riß
Schiß
Schmiß
vergiß!
ich biß
ich vermiß
(siehe **issen**)

isch *IBISCH*

drisch!
Fisch
frisch
Gemisch
Gezisch
. . . risch
  aufrührerisch
  betrügerisch
  ehebrecherisch
  erfinderisch
  gebieterisch
  gleisnerisch
  halsbrecherisch
  heuchlerisch
  ketzerisch
  kriegerisch
  künstlerisch
  lügnerisch
  malerisch
  mörderisch
  prahlerisch
  räuberisch
  rechthaberisch
  schmeichlerisch
  schwärmerisch
  träumerisch
  trügerisch
  verführerisch
  verräterisch

263

verschwenderisch
wählerisch
zauberisch
Tisch
verlisch!
Wisch
  Flederwisch
ich erwisch
ich misch
(siehe **ischen**)

ische

Frische
  Abendfrische
  Jugendfrische
  Sommerfrische
die Fische
bei Tische
ich entwische
ich mische
(siehe **ischen**)

ischen

auftischen
(etwas) auswischen
entwischen
erfrischen
fischen
mischen
wischen
zischen
zwischen
  dazwischen
  inzwischen
die Sommerfrischen
den Tischen
den erfinderischen
(siehe **isch**)

ischer

Fischer
Mischer
Wischer (Gegenstand)
  Scheibenwischer

Tintenwischer
Wischer (Tadel)
Zischer
ein frischer
ein trügerischer
(siehe **isch**)

ischt

erfrischt
gemischt
Gischt
verwischt
er drischt
es erlischt
er entwischt
er zischt
(siehe **ischen**)

ISK

BASILISK
OBELISK'
ODALISK'

ischung

Erfrischung
Mischung

ise

(siehe **iese**)

iskus

Diskus
Fiskus
Meniskus

ismus

Anachronismus
Aphorismus
Atavismus
Atheismus
Dadaismus
Despotismus
Dualismus
Egoismus
Fanatismus
Katechismus

Katholizismus
Liberalismus
Magnetismus
Manierismus
Mechanismus
Mystizismus
Naturalismus
Okkultismus
Optimismus
Organismus
Pantheismus
Patriotismus
Pazifismus
Pessimismus
Pietismus
Realismus
Rheumatismus
Sadismus
Spiritismus
Terrorismus
Vandalismus
Verismus
Vitalismus
Zynismus

ispel

Gelispel
Mispel

ispeln

lispeln
die Mispeln

isse

Hornisse
Kulisse
Melisse
Narzisse
Prämisse
die Hindernisse
die Gewissensbisse
ins Ungewisse
eine gewisse

(siehe **is**)
ich hisse
ich vermisse
(siehe **issen**)

issen

abgerissen
beflissen
Bissen
  Leckerbissen
sie bissen
gerissen
Gewissen
hingerissen
Kissen
  Ruhekissen
missen
  vermissen
pissen
sie rissen
  zerrissen
sie schmissen
  zerschmissen
verbissen
verrissen
zerrissen
den Ärgernissen
den Rissen
im ungewissen
(siehe **is**)
die Hornissen
die Narzissen
(siehe **isse**)

ißlich

gewißlich
mißlich

ist (ißt)

Alchimist
Alpinist
Amethyst
Anarchist

Artist
Atheist
Avantgardist
Bassist
Batist
du bist
Cellist
Christ
Deist
Dentist
Drogist
Egoist
Evangelist
Flötist
er frißt
Frist
  Galgenfrist
  Zahlungsfrist
Gardist
Germanist
Humanist
Humorist
Idealist
Infant(e)rist
er ist
er ißt
Journalist
Jurist
Kolonist
Kommunist
Komponist
Liberalist
List
Materialist
Mist
er mißt
Naturalist
Nihilist
Novellist
Optimist
Organist
Pantheist
Parodist
Pessimist
Pianist
Pietist

Polizist
Posaunist
Psalmist
Publizist
Quietist
Rationalist
Realist
Renommist
Rist
Romanist
Seminarist
Sigrist
Solist
Sophist
Statist
Tenorist
Terrorist
Tourist
trist
Twist
Violinist
er vergißt
er vermißt (von vermessen)
vermißt
Widerrist
Zionist
Zivilist
Zwist
ich vermißt'
ihr wißt
ihr zerrißt
(siehe **issen**)
ich frist
ich überlist
(siehe **isten**)

iste (ißte)

Kiste
Liste
Piste
Ziste
ich hißte
ich vermißte
(siehe **issen**)
am Riste

266

die triste
(siehe **ist**)
ich friste
ich niste
(siehe **isten**)

istel

Distel
Epistel
Fistel
Mistel

isten (ißten)

ausmisten
befristen
fristen
nisten
  einnisten
überlisten
sie hißten
sie misten
sie mißten
(siehe **issen**)
die Christen
die Listen (Tücken)
die Vermißten
(siehe **ist**)
die Listen (Akten)
die Pisten
(siehe **iste**)

ister (ißter)

Geknister
Geschwister
Kanister
Magister
Minister
Mister
Philister
Register
Tornister
ein trister
ein vermißter
(siehe **ist**)

istik

Alpinistik
Belletristik
Charakteristik
Journalistik
Realistik
Sophistik
Statistik
Stilistik
Touristik
(siehe **ist**)

istisch

alpinistisch
aphoristisch
archaistisch
artistisch
atheistisch
egoistisch
humanistisch
humoristisch
idealistisch
juristisch
nihilistisch
optimistisch
parodistisch
pessimistisch
realistisch
sophistisch
statistisch
(siehe **ist**)

īt

(siehe **iet**)

ĭt, ĭte, ĭtel

(siehe **itt, itte, ittel**)

itisch

analytisch
britisch

jesuitisch
kritisch
politisch
sodomitisch

itsch

Kitsch
Klitsch
klitsch!

itsche

Glitsche
Hitsche
Klitsche
Pritsche
dem Kitsche
die Klitsche (Hiebe)
ich glitsche
(siehe **itschen**)

itschen

glitschen
klitschen
pritschen
die Klitschen
den Pritschen
(siehe **itsche**)

itt

zu dritt
fit
Kitt
mit
  damit
  hiermit
  somit
  womit
Monolith
nit (nicht)
quitt
Ritt
Schnitt
  Scherenschnitt

Schritt
Splitt
Sprit
Transit
Tritt
Verschnitt
der Brit'
die Sitt'
(siehe **itte**)
ich bitt
ich ritt
(siehe **itten**)

ittchen

Flittchen
Kittchen
Schlafittchen
Schneewittchen
Schnittchen
Schrittchen
Trittchen

itte

Bitte
Brite
der Dritte
Mitte
Quitte
Schnitte
Sitte
Soffitte
Visite
die Ritte
die Schritte
(siehe **itt**)
ich glitte
ich kitte
(siehe **itten**)

ittel

Drittel
Kapitel
Kittel

Knittel
Mittel
  Gegenmittel
  Lebensmittel
  Zaubermittel
Spittel
Titel
ich bekrittel
ich vermittel
(siehe **itteln**)

itteln

bekritteln
betiteln
dritteln
ermitteln
vermitteln
zu zwei Dritteln
den Mitteln
(siehe **ittel**)

ittelt

unbemittelt
unvermittelt
er bekrittelt
er betitelt
(siehe **itteln**)

ittelung

(siehe **ittlung**)

itten

beritten
beschnitten
bitten
  erbitten
  verbitten
(gut) gelitten
sie glitten
  entglitten
kitten
  verkitten
  zusammenkitten

sie litten
mitten
  inmitten
sie ritten
Schlitten
sie schnitten
  beschnitten
  verschnitten
  zerschnitten
sie schritten
  beschritten
  umschritten
sie stritten
  bestritten
umstritten
  unumstritten
unbestritten
verschnitten
den Schritten
den Tritten
(siehe **itt**)
die Briten
die Sitten
(siehe **itte**)

itter

Baby-Sitter
bitter
ein dritter
Flitter
Geknitter
Gewitter
Gitter
Hochzeitsbitter
Leichenbitter
Magenbitter
Ritter
Schnitter
Splitter
Zither
Zwitter

itterig

(siehe **ittrig**)

ittern

erbittern
gewittern
knittern
  zerknittern
schlittern
splittern
  zersplittern
verbittern
vergittern
verwittern
wittern
zittern
hinter Gittern
den Rittern
(siehe **itter**)

ittert

erbittert
hineingeschlittert
umgittert
vergittert
verwittert
zerknittert
zersplittert
er wittert
er zittert
(siehe **ittern**)

itterung

Erbitterung
Klitterung
Vergitterung
Verwitterung
Witterung (Wetter)
Witterung (Geruch)
Zersplitterung

ittet

gesittet
verkittet
er bittet

270

ihr littet
(siehe **itten**)

ittich(g)

Fittich
schnittig
Sittich
sittig
strittig
bitt ich
litt ich
ritt ich
(siehe **itten**)

ittler

Krittler
Mittler
Vermittler

ittlich

durchschnittlich
sittlich
  unsittlich
unerbittlich

ittlung

Bekritt(e)lung
Betit(e)lung
Übermitt(e)lung
Vermitt(e)lung

ittrig

gewitt(e)rig
knitt(e)rig
splitt(e)rig
zitt(e)rig

ittst
(siehe **itzt**)

ittung

Gesittung
Quittung

itz

Besitz
Blitz
  Geistesblitz
  potz Blitz!
Fitz
Fritz
Hin-und-her-Geflitz
Kitz
Ritz
Schlitz
Sitz
Spitz
spitz
Witz
  Aberwitz
  Mutterwitz
  Zeitungswitz
ich erbitt's
ich litt's
(siehe **itten**)
ich besitz
ich stibitz
(siehe **itzen**)

itzchen

Fitzchen
Fritzchen
Kitzchen
Schlitzchen
Spitzchen
Witzchen

itze

Elritze
Haubitze
Hitze
Kitze

Lakritze
Litze
Ritze
Schmitze
Skizze
Spitze
Spritze
Zitze
die Blitze
die Witze
(siehe **itz**)
ich sitze
ich schwitze
(siehe **itzen**)

itzel

Gekritzel
Gepitzel
Gewitzel
Kitzel
Ritzel
Schnitzel
Spitzel
ich kitzel
ich kritzel
(siehe **itzeln**)

itzeln

bespitzeln
kitzeln
kritzeln
pitzeln
schnitzeln
witzeln
den Schnitzeln
den Spitzeln
(siehe **itzel**)

itzen

besitzen
blitzen
erhitzen
fitzen

flitzen
ritzen
schlitzen
schnitzen
schwitzen
sitzen
spitzen
spritzen
stibitzen
verschwitzen
den Ritzen
den Sitzen
(siehe **itz**)
die Litzen
die Skizzen
(siehe **itze**)

itzt

abgeblitzt
erhitzt
geschlitzt
geschnitzt
gespitzt
  zugespitzt
gewitzt
überhitzt
verschmitzt
du rittst
du schnittst
(siehe **itten**)
er flitzt
er stibitzt
(siehe **itzen**)

itzer

Bauchaufschlitzer
Besitzer
Erhitzer
Fitzer
Flitzer
Geglitzer
Schnitzer
Spritzer
ein spitzer

itzung

Besitzung
Erhitzung
Sitzung
Überhitzung
Überspitzung

iv

(siehe **ief**)

itzern

glitzern
den Besitzern
die spitzern
(siehe **itzer**)

ive

Lokomotive
Offensive
Olive
die Motive
das Positive
(siehe **ief**)

itzig(ch)

aberwitzig
hitzig
spitzig
spritzig
witzig
sitz ich
schwitz ich
(siehe **itzen**)

iz

Benefiz
Hospiz
Indiz
Justiz
Miez

272

Miliz
Notiz
Primiz
ich mied's
ich schied's
(siehe **ieden**)
des Gebiets
da geschieht's
er sieht's
(siehe **iet**)
ich gebiet's
ich verriet's
(siehe **ieten**)

ize

Komplice
Matrize
Mestize
Mieze
Novize
die Benefize
die Hospize
(siehe **iez**)
ich strieze
ich sieze
(siehe **iezen**)

o

apropos!
das A und das O
Bonmot
Bungalow
Büro
Cembalo
Chapeau
Chassepot
Chateau
comme il faut
coram publico
Depot
Domino
dos-à-dos
Eskimo
feurio!
Floh
Folio
froh
  lebensfroh
  schadenfroh
Gigolo
Gros (Hauptmasse)
en gros
Hallo
hallo!
hoho!
holdrio!
horrido!
Indigo
in dubio
in dulci jubilo
inkognito
Jabot
Kaliko
lichterloh
Niveau
oh!
oho!

Paletot
Pharao
Pierrot
Pikkolo
Plateau
Plumeau
Po
pro
Risiko
roh
Rokoko
Rouleau
Salomo
so
  ebenso
  sowieso
  wieso?
Stroh
das Studio
der Studio
Tableau
Trikot
Ultimo
wo
  anderswo
  irgendwo
  nirgendwo
Zoo
zwo
ich droh
ich floh
(siehe **ohen**)

ōb

Epidiaskop
gottlob!
Heliotrop
Kaleidoskop
Lob
Mikroskop

Misanthrop
Periskop
Philanthrop
Stereoskop
Stethoskop
Teleskop
Zyklop
Garderob'
Prob'
(siehe **obe**)
ich lob
ich schob
(siehe **oben**)

ŏb

(siehe **ŏpp**)

obe

Garderobe
Getobe
Mikrobe
Probe
Robe
zum Lobe
der grobe
ich probe
ich tobe
(siehe **oben**)

obel

Hobel
nobel
König Nobel
Tobel
Zobel

obeln

hobeln
knobeln
den Hobeln
die nobeln
(siehe **obel**)

oben

droben
gehoben
geloben
gewoben
die Globen
sie hoben
erhoben
kieloben
Kloben
Koben
loben
oben
proben
erproben
sie schnoben
sie schoben
sie stoben
zerstoben
toben
umwoben
verloben
verschoben
verschroben
verwoben
sie woben
im groben
(siehe **obe**)

ober

Geschnober
Kober
Ober
Oktober
Schober
Zinnober
ich erober
ich schnober

obern

erobern
schnobern
die Obern

den Schobern
(siehe **ober**)

obst

Obst
Propst
du hobst
du lobst
(siehe **oben**)

obt

erprobt
hochgelobt
verlobt
er probt
er tobt
(siehe **oben**)

obung

Erprobung
Verlobung

och

doch
  jedoch
Gepoch
Joch
Koch
Loch
noch
ich kroch
ich poch
(siehe **ochen**)

oche

Epoche
Gepoche
Woche
im Joche
dem Loche
(siehe **och**)

ich koche
ich unterjoche
(siehe **ochen**)

ochen

gebrochen
gestochen
Knochen
kochen
sie krochen
lochen
pochen
Rochen
sie rochen
ungebrochen
ungerochen
unterjochen
ununterbrochen
die Epochen
die Wochen
(siehe **oche**)

ocher

Gestocher
Kocher
Locher
Stocher

ochern

stochern
den Kochern
(siehe **ocher**)

ochs (ocks)

Box
Gebox
Gesox
Ochs
orthodox
Paradox
paradox
Phlox

des Bocks
des Rocks
(siehe **ock**)

ochse (ockse)

Ochse
der Orthodoxe
die Paradoxe
ich boxe
ich ochse

ochsen (ocksen)

boxen
ochsen
die Boxen
den Ochsen
(siehe **ochs**)

ochst

du kochst
du krochst
du rochst
(siehe **ochsen**)

ochst (ockst)

niedergeboxt
du boxt
du ochst
du bockst
du lockst
(siehe **ocken**)

ocht

ausgekocht
Docht
gelocht
(gern) gemocht
ungekocht
unterjocht
ihr krocht
er locht

(siehe **ochen**)
ich verfocht
ich vermocht'
(siehe **ochten**)

ochten

sie flochten
sie fochten
  verfochten
sie mochten
sie vermochten
sie kochten
sie pochten
(siehe **ochen**)
die Ausgekochten
den Dochten
(siehe **ocht**)

ochter

Tochter
ein (gern) gemochter
ein unterjochter
(siehe **ocht**)

ock

Barock
barock
en bloc
Block
Bock (Tier)
  Sündenbock
  Ziegenbock
Bock (Fehler)
Five o'clock
Gelock
Grog
ad hoc
Havelock
Lok
Pflock
Rock
Schmock
das Schock

277

der Schock
Stock
Tarock
ich frohlock
ich hock
(siehe **ocken**)

ocke

Artischocke
Berlocke
Docke
Flocke
Glocke
Hocke
Kokke
Locke
Nocke
Pocke
Socke
das Barocke
dem Stocke
(siehe **ock**)
ich bocke
ich locke
(siehe **ocken**)

ockel

Gockel
Monokel
Sockel

ocken

aufstocken
blocken
bocken
Brocken
brocken
  einbrocken
docken
erschrocken
frohlocken
hocken
locken
  verlocken

Rocken
schocken
socken (laufen)
stocken
tarocken
trocken
unerschrocken
verbocken
den Schmocken
die barocken
die Flocken
die Locken
(siehe **ocke**)

ocker

Hocker
locker
Ocker
Stubenhocker
ein barocker

ockern

lockern
den Hockern
(siehe **ocker**)

ockig(ch)

bockig
flockig
glockig
lockig
stockig
hock ich
lock ich
(siehe **ocken**)

ocknen

trocknen
  vertrocknen
die erschrocknen
die trocknen
(siehe **ocken**)

278

ocks

(siehe **ochs**)

ockt

aufgebockt
aufgedockt
aufgestockt
eingebrockt
gelockt
verbockt
verschmockt
verstockt
er frohlockt
er verlockt
(siehe **ocken**)

ockung

Lockung
Stockung
Verlockung

od

(siehe **ot**)

ode

Anode
Antipode
Elektrode
Episode
Kathode
Kommode
kommode
Kustode
marode
Methode
Mode
Ode
Pagode
Periode
Rhapsode
Sode

Synode
im Tode
ich rode

ode (ode)

Code
à la mode

odel

Gebrodel
Gejodel
Rodel

odeln

brodeln
jodeln
modeln
  ummodeln
rodeln

odem

Brodem
Odem

oden

Boden
Hoden
Loden
roden
die Episoden
die maroden
(siehe **ode**)

oder

Geloder
Moder
oder
ein kommoder
ein maroder

279

odern

lodern
modern
  vermodern
die kommodern
die marodern

odisch

episodisch
melodisch
methodisch
modisch
periodisch
rhapsodisch

ö

adieu!
Bö
Diarrhöe
faute de mieux
Jeu
Milieu
mon dieu!
Monsieur
parbleu!
peu à peu
Queue
die Flöh'
die Höh'
(siehe **öhe**)
ich entflöh'
ich erhöh'
(siehe **öhen**)

öbel

Möbel
Pöbel

öbeln

anpöbeln
vermöbeln
den Möbeln

öber

Gestöber
  Schneegestöber
gröber
Stöber (Hund)

öbern

stöbern
  durchstöbern
vergröbern
den Stöbern

öblich

gröblich
löblich

öche

die Köche
ich kröche
ich röche

öchel

Geröchel
Knöchel

öcheln

Röcheln
  Todesröcheln
röcheln
den Knöcheln

öchen

sie kröchen
sie röchen
den Köchen

öcher

Köcher
die Löcher

kröch' er
röch' er

öchern

durchlöchern
verknöchern
den Köchern
den Löchern

öckchen

Böckchen
Bröckchen
Flöckchen
Glöckchen
Löckchen
Pflöckchen
Röckchen
Söckchen
Stöckchen

öcke

die Böcke
die Pflöcke
die Röcke
die Stöcke
ich pflöcke

öcken

pflöcken
  anpflöcken
den Böcken
den Röcken
(siehe **öcke**)

öd

(siehe **öt**)

öde

blöde
Einöde

Öde

öde
schnöde
spröde
ich verblöde
ich veröde

ödel

Aschenbrödel
Knödel
Trödel

ödeln

blödeln
trödeln
  vertrödeln
den Aschenbrödeln
den Knödeln

öden

verblöden
veröden
die blöden
die öden
(siehe **öde**)

öder

Köder
ein öder
ein schnöder
(siehe **öde**)

öff

Gesöff
Töfftöff

öffe

Schöffe
ich söffe
  besöffe (mich)

öffel

Löffel
Töffel

ögen

sie bögen
sie flögen
sie lögen
mögen
Unvermögen
Vermögen
sie zögen
  bezögen
  entzögen
  verzögen

öhe

die Flöhe
Höhe
ich flöhe
ich erhöhe
(siehe **öhen**)

öhen

sie entflöhen
erhöhen
flöhen
den Flöhen
die Höhen

öl

Gegröl
Genöl
Öl
ich gröl
ich öl
(siehe **ölen**)

öle

Gegröle
Genöle

Höhle
die Öle
Töle
ich höhle
ich nöle
(siehe **ölen**)

ölen

aushöhlen
grölen
nölen
ölen
die Höhlen
den Ölen

ölf

die Wölfe
zwölfe

ölkchen

Völkchen
Wölkchen

öll

Geröll
die Höll'
es schöll'
er schwöll'

ölle

Gerölle
Gewölle
Hölle
die Zölle
es schölle
er schwölle

öllen

sie schöllen
sie schwöllen

in der Höllen
den Zöllen
(siehe **ölle**)

öller

Böller
Söller

ölung

Höhlung
Ölung

ön

Föhn
Gedröhn
Geklön
Gestöhn
Getön
obszön
Pön
schön
  morgenschön
  wunderschön
den Flöhn
die Höhn
die Söhn'
die Tön'
(siehe **öne**)
ich frön
ich verwöhn
(siehe **önen**)

önchen

Böhnchen
Krönchen
Milliönchen
Persönchen
Portiönchen
Sensatiönchen
Söhnchen
Tausendschönchen
Tönchen

öne

Gedröhne
Geklöne
Gestöhne
Getöne
die Söhne
die Töne
die Schöne
die obszöne
(siehe **ön**)
ich höhne
ich kröne
(siehe **önen**)

önen

dröhnen
  erdröhnen
entwöhnen
frönen
gewöhnen
  angewöhnen
höhnen
  verhöhnen
klönen
krönen
stöhnen
tönen
  ertönen
  übertönen
verpönen
verschönen
verwöhnen
die Schönen
die obszönen
(siehe **ön**)
den Söhnen
den Tönen
(siehe **öne**)

öner

Fröner
Tagelöhner
Versöhner

ein obszöner
ein schöner

önern

tagelöhnern
tönern
verschönern
den obszönern
den schönern
den Frönern
den Tagelöhnern
den Versöhnern

önig(ch)

eintönig
föhnig
König
mißtönig
krön ich
stöhn ich
(siehe **önen**)

önigen

beschönigen
den Königen
die föhnigen

önlich

gewöhnlich
 ungewöhnlich
persönlich
 unpersönlich
versöhnlich
 unversöhnlich

önnchen

den Mönchen
Nönnchen
Sönnchen
Tönnchen

284

önnen

sie begönnen
sie entrönnen
gönnen
können

önt

gekrönt
gewöhnt
preisgekrönt
verpönt
versöhnt
verwöhnt
er frönt
er stöhnt
(siehe **önen**)

önung

Entwöhnung
Gewöhnung
Krönung
Löhnung
Tönung
Verhöhnung
Versöhnung

öpfe

die Geschöpfe
die Knöpfe
die Köpfe
die Kröpfe
die Schöpfe
die Töpfe
die Zöpfe
ich kröpfe
ich schröpfe
(siehe **öpfen**)

öpfen

abknöpfen
erschöpfen

knöpfen
köpfen
kröpfen
schöpfen
  abschöpfen
  ausschöpfen
schröpfen
den Geschöpfen
den Köpfen
(siehe **öpfe**)

öpfer

Schöpfer
Schröpfer
Töpfer

öpft

erschöpft
geköpft
gekröpft
geschröpft
zugeknöpft
er schöpft
er schröpft
(siehe **öpfen**)

ör

Amateur
Causeur
Chasseur
Chauffeur
Coeur
Deserteur
Dompteur
Franktireur
Friseur
Gehör
Gör
Gouverneur
Ingenieur
Kollekteur
Kondukteur
Konstrukteur

Kontrolleur
Likör
Malheur
Monteur
Odeur
Öhr
  Nadelöhr
Poseur
Redakteur
Regisseur
Restaurateur
Schwadroneur
Souffleur
Spediteur
Stör
Verhör
Zubehör
ich hör
ich schwör
(siehe **ören**)

örchen

Histörchen
Likörchen
Malheurchen
Möhrchen
Öhrchen
Pastörchen
Röhrchen
den Störchen

öre

die Chöre
Göre
Föhre
Möhre
Röhre
die Tenöre
die Friseure
die Liköre
(siehe **ör**)
ich betöre
ich störe
(siehe **ören**)

ören

beschwören
betören
empören ·
sie frören
gehören
  angehören
  dazugehören
hören
  erhören
  überhören
  verhören
kören
röhren
schwören
stören
  entstören
  verstören
  zerstören
sie verlören
verschwören
den Redakteuren
den Regisseuren
(siehe **ör**)
die Gören
den Tenören
(siehe **öre**)

örend

beschwörend
betörend
empörend
störend
(siehe **ören**)

örer

Beschwörer
  Schlangenbeschwörer
Empörer
Hörer
Ruhestörer
Verschwörer
Zerstörer

öricht

Röhricht
töricht

örnchen

Dörnchen
Hörnchen
Körnchen

örner

Dörner
Hörner
Körner

ört

empört
gestört
  geistesgestört
  ungestört
unerhört
verstört
zerstört
er erhört
er röhrt
(siehe **ören**)

örtchen

Örtchen
Pförtchen
Törtchen
Wörtchen

örtlich

örtlich
wörtlich

örung

Beschwörung
Betörung

Empörung
Erhörung
Körung
Störung
Verschwörung
Zerstörung

ös (öß)

amourös
bös
Charmeuse
Erlös
Gekrös
generös
Getös
graziös
ingeniös
kapriziös
luxuriös
maliziös
melodiös
monströs
muskulös
mysteriös
nervös
ominös
philiströs
pompös
porös
religiös
schikanös
seriös
skandalös
tendenziös
ich dös
ich erlös
(siehe **ösen**)
ich entblöß
ich flöß
(siehe **ößen**)

ös-chen (ößchen)

Döschen
Höschen

Klößchen
Röschen
Schößchen
Stößchen

öse

das Böse
böse
Friseuse
Gekröse
Getöse
Öse
Pleureuse
Souffleuse
die Erlöse
der pompöse
(siehe **ös**)
ich döse
ich löse
(siehe **ösen**)

öße

Blöße
Größe
  Seelengröße
die Klöße
die Stöße
ich entblöße
ich flöße
(siehe **ößen**)

ösen

dösen
lösen
  ablösen
  auflösen
  erlösen
die nervösen
die seriösen
(siehe **ös**)
die Bösen
die Ösen
(siehe **öse**)

287

ößen

einflößen
entblößen
flößen
die Blößen
die Größen
(siehe **öße**)

öser

Döser
Erlöser
ein böser
ein mysteriöser
(siehe **ös**)

ößer

Flößer
Stößer
größer

öst (ößt)

aufgelöst
eingeflößt
entblößt
erlöst
gelöst (locker)
verdöst
er döst
er löst
(siehe **ösen**)
er entblößt
er flößt
(siehe **ößen**)

öste (ößte)

Röste
der größte
ich döste
ich löste
(siehe **ösen**)
ich entblößte

288

ich flößte
(siehe **ößen**)
ich röste
ich tröste
(siehe **östen**)

östen (ößten)

die größten
rösten
trösten
vertrösten
sie dösten
sie lösten
(siehe **ösen**)
sie entblößten
sie flößten
(siehe **ößen**)
die Erlösten
die verdösten
(siehe **öst**)

öster (ößter)

unser größter
die Klöster
Tröster
Röster
ein entblößter
ein gelöster
(siehe **öst**)

österlich

klösterlich
österlich

östlich

köstlich
östlich

öt

blöd
erhöht

öd
schnöd
spröd
ich verblöd
ich veröd
(siehe **öden**)
die Flöt'
die Abendröt'
(siehe **öte**)
ich böt'
ich erröt
(siehe **öten**)

ötchen

Brötchen
Knötchen
Pfötchen
Zötchen

öte

Flöte
Kröte
die Nöte
Röte
  Abendröte
  Morgenröte
ich böte
ich erröte
(siehe **öten**)

öten

sie böten
sie erhöhten
erröten
flöten
löten
röten
töten
vonnöten
die Flöten
den Nöten
(siehe **öte**)

ötet

gelötet
gerötet
getötet
ihr bötet
er flötet
(siehe **öten**)

ötig

erbötig
krötig
nötig
vierschrötig
erröt ich
flöt ich
(siehe **öten**)

ötlich

nötlich
rötlich
tödlich

ötter

die Götter
Spötter
ich vergötter

öttern

vergöttern
den Göttern
den Spöttern

öttisch

abgöttisch
hundsföttisch
spöttisch

ötze

Götze
die Klötze

Kötze
ich ergötze

ötzen

ergötzen
die Götzen
den Klötzen
den Kötzen

ötzlich

ergötzlich
plötzlich

öwe

Löwe
Möwe

of

Apostroph
doof
Hof
hypertroph
Philosoph
Schwof
Theosoph

ofe

Ganove
Katastrophe
ich schwofe
Strophe
Zofe
beim Schwofe
der doofe
(siehe **of**)

ofen

Alkoven
Ofen
schwofen

die doofen
die Philosophen
die hypertrophen
(siehe **of**)
die Katastrophen
die Zofen
(siehe **ofe**)

off

Sauerstoff
schroff
Stoff
ich hoff
ich soff
(siehe **offen**)

offel

Kartoffel
Pantoffel
Stoffel
Toffel

offen

besoffen
betroffen
ersoffen
getroffen
hoffen
  erhoffen
offen
Schroffen
sie soffen
sie troffen
unübertroffen
verhoffen (vom Wild)
versoffen
den Stoffen
die schroffen

offer

Koffer
ein schroffer

oft

oft
unverhofft
er hofft
ihr trofft
(siehe **offen**)

ōg

analog
Dialog
Epilog
Katalog
Koog
Monolog
Nekrolog
Pädagog
Prolog
Sog
Trog
ich betrog
ich log
(siehe **ogen**)

ŏg

(siehe ock)

oge

Archäologe
Demagoge
Droge
Pädagoge
Philologe
Piroge
Synagoge
Theologe
Woge
Zoologe
ich woge
die Dialoge
die Kataloge
im Soge
(siehe **ōg**)

oge (osche)

Eloge
Loge

ogel

Gemogel
Kogel
Vogel

ogen

betrogen
sie bewogen
Bogen (Rundung)
  Brückenbogen
  Ellenbogen
  Regenbogen
Bogen (Papier)
  Bilderbogen
  Zeitungsbogen
sie bogen
sie flogen
  entflogen
gebogen
gewogen
sie logen
  belogen
sie sogen
sie trogen
  betrogen
ungelogen
ungezogen
verbogen
verlogen
verwogen
verzogen
wogen
sie wogen (von wiegen)
sie zogen
  bezogen
  erzogen
  überzogen
  verzogen
den Dialogen

den Prologen
(siehe **ōg**)
die Demagogen
die Wogen
(siehe **oge**)

ogge

Dogge
Kogge

oggen

Roggen
die Doggen
die Koggen

ogik

Demagogik
Logik
Pädagogik

ogisch

archäologisch
demagogisch
dialogisch
logisch
monologisch
pädagogisch
philolologisch
theologisch
zoologisch

ogt

Vogt
es wogt
ihr zogt
(siehe **ogen**)

ohe

Lohe
ich drohe

der frohe
(siehe **ohen**)

ohen

drohen
entflohen
sie flohen
lohen
verrohen
die hohen
die rohen
(siehe **o**)

oheit

Hoheit
Roheit

oi

(siehe **eu**)

o-isch

heroisch
paranoisch
stoisch

okus

Fokus
Hokuspokus
Jokus
Krokus
Lokus

ol

Alkohol
Entresol
frivol
Gejohl
aufs Geratewohl
hohl
Idol

Interpol
jawohl
Kamisol
Kapitol
Karbol
Karfiol
Karneol
Kohl
Monopol
Pistol
Pirol
Pol
Stanniol
Symbol
Terzerol
Tirol
Vitriol
Wohl
wohl
. . . wohl
  obwohl
  sowohl
  wiewohl
die Metropol'
die Parol'
(siehe **ole**)
ich hol
ich karriol
(siehe **olen**)

olch

Dolch
Lolch
Molch
solch
Strolch

olchen

erdolchen
strolchen
den Dolchen
solchen
(siehe **olch**)

old

(siehe **ŏlt**)

olde

Dolde
ich besolde
ich vergolde
aus (purem) Golde
die holde
(siehe **ŏlt**)

olden

besolden
vergolden
den Trunkenbolden
die holden
(siehe **ŏlt**)

older

Polder
Vergolder
Wacholder
ein holder

oldig

doldig
goldig

oldung

Besoldung
Vergoldung

ole

Aureole
Banderole
Barkarole
Bohle
Bowle

293

Dohle
Gejohle
Gekohle
Gladiole
Gloriole
Kapriole
Kohle
Konsole
Kreole
Metropole
Mole
Mongole
Parole
Phiole
Pistole
Sole
Triole
Viole
die Idole
zum Wohle
der frivole
(siehe **ol**)
ich hole
ich versohle
(siehe **olen**)

olen

(wie) befohlen
besohlen
empfohlen
erholen
Fohlen
fohlen
gestohlen
holen
johlen
karriolen
kohlen
rigolen
sohlen
überholen
unverhohlen
verkohlen
versohlen
verstohlen

wiederholen
den Monopolen
die hohlen
(siehe **ol**)
die Kohlen
die Pistolen
(siehe **ole**)

olf

Golf
Wolf

olich(g)

bedrohlich
wohlig
hol ich
versohl ich
(siehe **olen**)

olie

Folie
Magnolie
Scholie

olisch

apostolisch
diabolisch
katholisch
kreolisch
melancholisch
mongolisch
symbolisch

olk

Kolk
Volk

olke

Molke
Wolke

am Kolke
dem Volke

oll

Apoll
Atoll
Groll
Moll
pascholl!
Protokoll
Soll
toll
Troll
voll
. . . voll
  achtungsvoll
  ahnungsvoll
  andachtsvoll
  anmutvoll
  anspruchsvoll
  ausdrucksvoll
  bedeutungsvoll
  demutsvoll
  dornenvoll
  ehrenvoll
  ehrfurchtsvoll
  einsichtsvoll
  erwartungsvoll
  freudenvoll
  friedevoll
  gedankenvoll
  geheimnisvoll
  glaubensvoll
  grauenvoll
  hoffnungsvoll
  hoheitsvoll
  jammervoll
  kummervoll
  lebensvoll
  liebevoll
  liedervoll
  Lobes voll
  mitleidsvoll
  mühevoll
  ränkevoll

rätselvoll
rücksichtsvoll
ruhevoll
seelenvoll
sehnsuchtsvoll
sorgenvoll
tränenvoll
verhängnisvoll
verheißungsvoll
vertrauensvoll
vorwurfsvoll
wehmutsvoll
wonnevoll
wundervoll
würdevoll
Zoll
ich groll
ich soll
(siehe **ollen**)

olle

Bolle
Dolle
Frau Holle
Jolle
Knolle
Kontrolle
Molle
Rolle (langrunder Gegenstand)
  Papyrusrolle
Rolle (Mangel)
  Wäscherolle
Rolle (Spielpartie)
  Hosenrolle
  Nebenrolle
Scholle (Fisch)
Scholle (Ab-, Aufgebrochenes)
  Ackerscholle
  Treibeisscholle
Stolle
Tolle
Wolle
die Trolle
der tolle
der wundervolle

295

(siehe **oll**)
ich rolle
ich schmolle
(siehe **ollen**)

ollen

entquollen
geschwollen
grollen
Pollen
sie quollen
rollen
schmollen
sie schwollen
sollen
Stollen
tollen
trollen
verquollen
verschollen
verschwollen
verzollen
wollen (beabsichtigen)
wollen (aus Wolle)
zollen
den Protokollen
die tollen
die vorwurfsvollen
(siehe **oll**)
die Mollen
die Schollen
(siehe **olle**)

oller

Hohenzoller
Koller (Krankheit)
  Liebeskoller
  Tropenkoller
Koller (Wams)
Poller
Roller
ein grauenvoller
toller
(siehe **oll**)

ollern

kollern
keinen tollern
keinen anspruchsvollern
(siehe **oll**)
die Hohenzollern
den Rollern
(siehe **oller**)

ollig

drollig
knollig
mollig
wollig

ollt

(siehe **ölt**)

olpern

holpern
stolpern

ölt

besohlt
erholt
überholt
umjohlt
verkohlt
wiederholt
er kohlt
er karriolt
(siehe **olen**)

ölt

Colt
gerollt
gesollt
gewollt
Gold
hold

Sold
Trunkenbold
ungewollt
verzollt
Volt
er grollt
ich wollt'
(siehe **ollen**)

olte

Revolte
Volte
ich sollte
ich wollte
(siehe **ollen**)

olten

unbescholten
vergolten
sie grollten
sie tollten
(siehe **ollen**)

olter

Folter
Gepolter
holterdiepolter!
ein ungewollter
ein (hoch)verzollter
(siehe **ölt**)

oltern

foltern
poltern

olung

Besohlung
Erholung
Überholung
Verkohlung
Wiederholung

olz

Bolz
Hagestolz
Holz
  Ebenholz
  Eichenholz
  Unterholz
Stolz
stolz
da rollt's
ich wollt's
(siehe **ollen**)
des Colts
des Solds
(siehe **old**)
ich bolz
ich schmolz
(siehe **olzen**)

olzen

Bolzen
bolzen
holzen
sie schmolzen
den Hagestolzen
die stolzen
(siehe **olz**)

ōm

Agronom
Anatom
Arom
Astronom
Atom
autonom
Axiom
Brom
Chrom
Diplom
Dom
Gastronom
Gnom
go home!

Hippodrom
Idiom
Karzinom
Metronom
Ohm
Ökonom
Phantom
Physiognom
Pogrom
Rom
Strom
Symptom

ŏm

(siehe **omm**)

ombe

Bombe
Hekatombe
Katakombe
Plombe
Trombe

omen

Omen
verchromen
die Astronomen
den Domen
(siehe **ōm**)

omik

Komik
Physiognomik

omisch

anatomisch
astronomisch
gastronomisch
komisch
ökonomisch
physiognomisch

omm

Absalom
Bonhomme
fromm
vom
Willkomm
ich bekomm
ich glomm
ich klomm
komm!
(siehe **ommen**)

ommel

Rohrdommel
Trommel

ommen

Abkommen
beklommen
benommen
davongekommen
Einkommen
entglommen
entkommen
die Frommen
zu meinem Frommen
frommen
sie glommen
sie klommen
kommen
unbenommen
verkommen
vernommen
verschwommen
vollkommen
Willkommen
willkommen

ommer

Altweibersommer
Sommer
ein frommer

ommt

kommt!
es frommt
ihr klommt
(siehe **ommen**)

ōn

Absolution
Acheron
Adoption
Aggression
Agitation
Aktion
Ambition
Amputation
Äon
Attraktion
Auktion
Balkon
Baron
Bataillon
Billion
Dekoration
Demonstration
Depression
Deputation
Desertion
Destillation
Diakon
Dimension
Direktion
Diskretion
Diskussion
Disposition
Dotation
Emanzipation
Emigration
Exekution
Exkursion
Expedition
Explosion
Fabrikation
Fraktion
Fron

Funktion
Garnison
Generation
Grammophon
Gratulation
Halluzination
Hohn
Hormon
Illumination
Illusion
Illustration
Imitation
Inkarnation
Inquisition
Inspektion
Inspiration
Institution
Instruktion
Intension
Interpretation
Invasion
Kalkulation
Kanton
Kaution
Konfirmation
Konstruktion
Konzentration
Korruption
Legion
Legitimation
Lektion
Lohn
Magnetophon
Manifestation
Mikrophon
Million
Mission
Modulation
Mohn
monoton
Munition
Nation
Navigation
Obduktion
obschon
Obstruktion

Operation
Opposition
Organisation
Ovation
Ozon
Päon
Passion
Patron
Pension
Person
Petition
Phon
polyphon
Portion
Position
Prädestination
Präparation
Produktion
Projektion
Proklamation
Proportion
Prostitution
Provision
Provokation
Prozession
Publikation
Ration
Reaktion
Rebellion
Redaktion
Region
Religion
Remission
Repetition
Resignation
Restauration
Revision
Revolution
Rezension
Rotation
Sanktion
Satisfaktion
Saxophon
schon
Schwadron
Sensation

Sermon
Situation
Skorpion
Sohn
Spedition
Spion
Station
Subskription
synchron
Synchronisation
Telefon
Television
Thron
Ton (Klang)
Ton (Masse)
Tradition
Triton
Union
Variation
Vegetation
Version
Vision
Visitation
Xylophon
Zivilisation
Zyklon
die roh'n
die schadenfroh'n
(siehe **o**)
entflohn
drohn
(siehe **ohen**)
die Kanon'
die Kron'
(siehe **one**)
ich belohn
ich wohn
(siehe **onen**)

ŏn

Akkordeon
Albion
Anakreon
Babylon
Bandoneon

Bariton
Bronn
Chamäleon
Distichon
Lexikon
Oberon
Pantheon
Rubikon
Stadion
von
  davon
  hiervon
  wovon
die Sonn'
ich sonn
Kupon

on (ong)

allons!
Balkon
Ballon
Beton
Bon
Bonbon
Bouillon
Champignon
Chiffon
Fasson
Garçon
Karton
Kokon
Kompagnon
Kordon
Kotillon
Kupon
Lampion
Liaison
Medaillon
Pardon
Pavillon
Perron
Räson
Rayon
Saison
Salon
Talon

Tampon
(dazu **ond**)

ona

Desdemona
Korona
Patrona
in persona

ōnd

(siehe **ōnt**)

ŏnd

(siehe **ŏnt**)

ond (ong)

Fond
Plafond
(dazu **on**)

onde

Ronde
Sonde
die blonde

onde (ongde)

Fronde
Ronde

ondern

sondern (trennen)
  absondern
  aussondern
sondern (aber)
den Hypochondern

one

Amazone
Anemone

Äone
Bohne
Cicerone
Dohne
Drohne
Epigone
Kanone
Kanzone
Kommilitone
Krone
Limone
Makrone
Marone
Matrone
Melone
Mormone
None
ohne
Pantalone
Patrone
Schablone
Teutone
Zitrone
Zone
zweifelsohne
auf dem Balkone
zum Hohne
zum Lohne
dem Throne
(siehe **ōn**)
ich lohne
ich schone
(siehe **onen**)

onen

betonen
fronen
lohnen
  belohnen
  entlohnen
schonen
  verschonen
thronen
  entthronen
vertonen

wohnen
  bewohnen
die Regionen
den Spionen
(siehe **ōn**)
die Äonen
die Epigonen
(siehe **one**)

oner

Bewohner
Dragoner
Entlohner
Schoner (Schiff)
Schoner (Schutzdecke)
Vertoner
ein monotoner
ein polyphoner

onern

bohnern
den Bewohnern
(siehe **oner**)

ong

Gong
Pingpong
Song

onig(ch)

Honig
lohn ich
wohn ich
(siehe **onen**)

onik

Architektonik
Chronik
Diatonik
Elektronik
Harmonik

onika

Harmonika
Tonika
Veronika

onisch

agonisch
architektonisch
chronisch
dämonisch
diatonisch
drakonisch
elektronisch
harmonisch
ironisch
junonisch
kanonisch
konisch
lakonisch
napoleonisch
neronisch
platonisch
salomonisch
telefonisch
tonisch

onne

Bonne
Kolonne
Nonne
Sonne
Tonne
Wonne
ich sonne

onnen

besonnen
   unbesonnen
Bronnen
gesonnen
gewonnen
sonnen

versponnen
zerronnen
die Kolonnen
die Sonnen
voller Wonnen
(siehe **onne**)

onnig

sonnig
wonnig

ōnt

betont
bewohnt
entlohnt
gewohnt (gewöhnt)
Mond (Gestirn)
Mond (Monat)
   Wintermond
   Wonnemond
verschont
verwohnt
er lohnt
er thront
(siehe **onen**)

önt

besonnt
blond
Diskont
Front
gekonnt
Horizont

onung

Belohnung
Betonung
Entlohnung
Entthronung
Schonung
Vertonung
Wohnung

ōp

(siehe **ōb**)

ŏp

(siehe **opp**)

ope

Antilope
Pope
Synkope
Trope
die Horoskope
die Mikroskope
(siehe **ōb**)

opf

Dauertropf
Geklopf
Knopf
Kopf
  Feuerkopf
  Wuschelkopf
Kropf
Pfropf
Schopf
Topf
Tropf
Wiedehopf
Zopf
ich klopf
ich stopf
(siehe **opfen**)

opfe

Geklopfe
am Kopfe
im Topfe
(siehe **opf**)
ich pfropfe
ich tropfe
(siehe **opfen**)

opfen

Hopfen
klopfen
Pfropfen
pfropfen
stopfen
Tropfen
tropfen

opfer

Klopfer
Opfer

opft

aufgepfropft
ausgestopft
verzopft
er klopft
es tropft
(siehe **opfen**)

opfung

Pfropfung
Verstopfung

oph

(siehe **of**)

opisch

mikroskopisch
misanthropisch
philanthropisch
tropisch
utopisch

opp

Bob
darob
drob

Galopp
grob
hopp!
Job
Mob
Mop
ob
ich robb
salopp
Snob
stop!
tipp topp
Topp
topp!
ich fopp
ich mopp
ich stopp
(siehe **oppen**)

oppe

Joppe
Kloppe
Koppe
Noppe
im Galoppe
der saloppe
(siehe **opp**)
ich foppe
ich moppe
ich stoppe
(siehe **oppen**)

oppel

Doppel
Gehoppel
Gestoppel
Hoppelpoppel
Koppel
Moppel
Stoppel
ich koppel
ich stoppel
ich verdoppel
(siehe **oppeln**)

oppeln

hoppeln
koppeln
stoppeln
  zusammenstoppeln
verdoppeln
die Koppeln
die Stoppeln
(siehe **oppel**)

oppelt

gekoppelt
verdoppelt
zusammengestoppelt

oppen

foppen
moppen
Schoppen
stoppen
toppen
die Toppen
einen saloppen
(siehe **opp**)
die Joppen
die Noppen
(siehe **oppe**)

oppt

bekloppt
gemoppt
gestoppt
er foppt
er stoppt
(siehe **oppen**)

ops

die Drops
Hops
hops!
Klops

Mops
des Galopps
eines Snobs
ob's
(siehe **opp**)

opse

Gehopse
Synopse
die Klopse
die Mopse
(siehe **ops**)

opsen

hopsen
sich mopsen

or

Chlor
Chor
empor
Exzelsior
Flor
Fluor
Fort
Humor
Komfort
Kontor
Korps
Korridor
Major
Matador
Meteor
Mohr
Moor
Ohr
Ressort
Rohr
Rumor
sonor
Tenor
das Tor
der Tor

Toreador
vor
  bevor
  hervor
  zuvor
ich bohr
ich schwor
ich verlor
(siehe **oren**)

ora

Amphora
Angora
Aurora
Bora
Flora
Hora
Rotte Korah
Pandora
Signora
Thora

orben

erworben
gestorben
umworben
verdorben

orch

Storch
horch!
ich horch
(siehe **orchen**)

orchen

gehorchen
horchen
storchen

ord

(siehe **ört**)

orde

Horde
ich morde
die Fjorde
die Morde
(siehe **ört**)

orden

geworden
morden
ermorden
Norden
Orden
den Akkorden
den Rekorden
(siehe **ört**)

ordern

die Altvordern
beordern
fordern
anfordern
erfordern
überfordern
die vordern

ordnen

ordnen
verordnen
die gewordnen

ore

Empore
Furore
Gerumore
Hore
Lore
Monsignore
Pore
Spore
im Chore

die Moore
(siehe **or**)
ich bohre
ich schmore
(siehe **oren**)

oren

angeboren
auserkoren
die Autoren
bohren
die Doktoren
eingeboren
erfroren
sie erkoren
sie froren
geboren
(hoch)wohlgeboren
gegoren
sie goren
die Kantoren
die Motoren
rumoren
schmoren
sie schoren
sie schworen
beschworen
die Sporen
ungeschoren
unverfroren
verfroren
sie verloren
verloren
verschworen
die Faktoren
die Traktoren
(siehe **aktor**)
die Diktatoren
die Gladiatoren
(sie **ator**)
die Direktoren
die Sektoren
(siehe **ektor**)
die Aggressoren
die Professoren

(siehe **essor**)
die Mohren
vor den Toren
(siehe **or**)
die Emporen
die Horen
(siehe **ore**)

ores

kapores (kaputt)
Mores (lehren)
Stinkadores
des Moores
des Rohres
(siehe **or**)
ich erkor es
ich verlor es
(siehe **oren**)

orf

Dorf
Schorf
Torf

org

(auf) Borg
ich borg
ich sorg
(siehe **orgen**)

orge

Sorge
ich verborge
ich versorge
(siehe **orgen**)

orgen

besorgen
borgen
geborgen
Morgen

morgen
sorgen
verborgen (leihen)
verborgen (versteckt)
versorgen
die Sorgen

oria

Donner und Doria!
Gloria
Historia
Viktoria!

orië

Glorie
Historie
Zichorie

orig(ch)

humorig
langohrig
moorig
vorig
schwor ich
verlor ich
(siehe **oren**)

orisch

allegorisch
diktatorisch
dorisch
historisch
illusorisch
kategorisch
metaphorisch
notorisch
provisorisch
rhetorisch

orium

Brimborium
Emporium

Oratorium
Refektorium

orke

Borke
Forke
knorke
Lorke
die Korke
ich entkorke

orken

entkorken
Korken
die Borken
die Lorken
(siehe **orke**)

orm

abnorm
enorm
Form
konform
Norm
Reform
Uniform

orn

Born
Dorn
Horn
Korn
Sporn
vorn
Zorn
ich sporn

orne

Norne
ich sporne
der verworrne

am Borne
im Zorne
vorne
(siehe **orn**)

ornen

dornen
hornen
spornen
  anspornen
die Dornen
die Nornen
die verworrnen

ornig

dornig
hornig
zornig

orren

Knorren
schlorren
schnorren
verdorren
verworren

orrst, orrt

(siehe **orst, ört**)

orsch

Dorsch
forsch
morsch

orschen

forschen
  erforschen
vermorschen
den Dorschen
die forschen
die morschen

orscher

Forscher
ein forscher
ein morscher

orscht

unerforscht
vermorscht
er forscht
(siehe **orschen**)

orst

Forst
Horst
er morst (funkt)
du schnorrst
du verdorrst
(siehe **orren**)

orste

Borste
die Forste
die Horste
ich morste

orsten

geborsten
horsten
die Forsten
den Horsten
sie morsten

ōrt

geschmort
umflort
verbohrt
ihr frort
er rumort
ihr schort
(siehe **oren**)

ŏrt

Akkord
Bord
dort
Export
Fjord
fort
　hinfort
　immerfort
　in einem fort
　sofort
Hort
Import
Kord
Lord
Mord
Nord
Ort
Port
Rapport
Rekord
Sport
Tort
Transport
verdorrt
Wort
er dorrt
er schnorrt
(siehe **orren**)

orte

Borte
Eskorte
forte
Kohorte
Konsorte
Pforte
Retorte
Sorte
Torte
die Orte
die Worte
(siehe **ŏrt**)
er dorrte

er schnorrte
(siehe **orren**)

orten

allerorten
horten
orten
sie schlorrten
sie schnorrten
(siehe **orren**)
den Orten
die verdorrten
(siehe **ört**)
die Sorten
die Torten
(siehe **orte**)

ōs (ōß)

bloß
burschikos
dubios
famos
Floß
Franzos
Gernegroß
Getos
grandios
groß
Kloß
kurios
Los
. . . los
  absichtslos
  ahnungslos
  anspruchslos
  atemlos
  ausdruckslos
  bedeutungslos
  bedingungslos
  beispiellos
  besinnungslos
  erbarmungslos
  fassungslos
  fehlerlos

fleckenlos
gedankenlos
gewissenlos
grenzenlos
heimatlos
hoffnungslos
kinderlos
makellos
mitleidslos
mühelos
namenlos
regellos
rettungslos
rücksichtslos
schonungslos
schrankenlos
seelenlos
sittenlos
tatenlos
tränenlos
wesenlos
wirkungslos
wolkenlos
Moos
rigoros
Schoß
  Erdenschoß
  Mutterschoß
Stoß
  Gnadenstoß
  Rippenstoß
  Zusammenstoß
Trauerkloß
Verstoß
virtuos
die Bonmots
die Bungalows
die Paletots
des Flohs
des Strohs
wo's
(siehe **o**)
die Hos'
die Ros'
(siehe **ose**)
ich kos

ich los
(siehe **osen**)

ŏs (ŏß)

Albatros
Boß
Genoß
Geschoß (Stockwerk)
  Dachgeschoß
  Erdgeschoß
  Obergeschoß
Geschoß (einer Schießwaffe)
Gros
Koloß
kroß
Rhinozeros
Schloß (Burg)
Schloß (Sicherung)
Sproß
Troß
ich beschloß
ich goß
(siehe **ossen**)

ROSS

osch

Frosch
ich drosch
ich verlosch
(siehe **oschen**)

osche

Brosche
Galosche
Gosche
dem Frosche

oschen

abgedroschen
sie droschen
  verdroschen
erloschen
Groschen

sie verloschen
die Broschen
die Galoschen
(siehe **osche**)

ose

Apotheose
Aprikose
Arthrose
Chose
Diagnose
Dose
Fose
Franzose
Gekose
Getose
Gose
Herbstzeitlose
Hose
  Unterhose
  Wasserhose
Hypnose
Kolchose
lose
Matrose
Metamorphose
Mimose
Narkose
Neurose
Pose
Prognose
Psychose
Rose
  Heckenrose
  Windrose
Spirituose
Symbiose
Virtuose
die Moose
das Seelenlose
der sittenlose
(siehe **ōs**)
ich liebkose
ich verlose
(siehe **osen**)

oße

Schloße
Soße
ich stoße
die Gernegroße
im Schoße
der große
(siehe **ōs**)

osen

Almosen
sich erbosen
glosen
(das Land) Gosen
kosen
 liebkosen
losen
 verlosen
tosen
die Franzosen
die Namenlosen
(siehe **ōs**)
die Dosen
die Spirituosen
(siehe **ose**)

oßen

schloßen
stoßen
 verstoßen
den Gernegroßen
die Schloßen
die Soßen
die großen

osig

moosig
rosig

osse

Flosse
Genosse

Glosse
Gosse
Karosse
Posse
Sommersprosse
Sprosse
ich sprosse
die Albatrosse
die Kolosse
(siehe **ŏß**)

ossel

Drossel
ich bossel
ich drossel

osseln

bosseln
drosseln
erdrosseln
die Drosseln

ossen

(wie) angegossen
aufgeschlossen
(hoch) aufgeschossen
(wie) begossen
sie beschlossen
entschlossen
 unentschlossen
entsprossen
erschlossen
(wie) erschossen
sie flossen
sie genossen
sie gossen
(wie) hingegossen
meerumflossen
sie schlossen
 erschlossen
 verschlossen
sie schossen
 beschossen

313

erschossen
verschossen
sprossen
sie verdrossen
verdrossen
  unverdrossen
verflossen
verschlossen (in sich gekehrt)
verschossen (entfärbt)
verschossen (verliebt)
zerflossen
zerschossen
den Bossen
den Geschossen
(siehe **ŏs**)
die Genossen
die Possen
(siehe **osse**)

ōst (ōßt)

ausgelost
behost
bemoost
getrost
prost!
Tjost
Toast
Trost
ich kost'
er lost
(siehe **osen**)
es schloßt
ihr stoßt
(siehe **oßen**)

ŏst (ŏßt)

Frost
Kompost
Kost
Most
Ost
Post
Rost
Starost

ihr schloßt
es sproßt
(siehe **ossen**)
ich kost
ich rost
(siehe **ŏsten**)

ōste

ich proste
ich toaste
mich erboste
ich koste
(siehe **osen**)
zum Troste
der bemooste
(siehe **ōst**)

ŏste (ŏßte)

Pfoste
es sproßte
dem Froste
die Oste (Ostwinde)
(siehe **ŏst**)
ich koste
ich roste
(siehe **ŏsten**)

ōsten

prosten
toasten
sie losten
sie tosten
(siehe **osen**)
die bemoosten
die getrosten
(siehe **ōst**)

ŏsten (ŏßten)

die Kosten
kosten
Osten
Pfosten

Posten (Stellung)
Posten (Wache)
rosten
sie sproßten
die Posten (Nachrichten)
  Hiobsposten
auf den Rosten
(siehe **öst**)

oster

Kloster
ein erboster
ein getroster
(siehe **ōst**)

ostern

Ostern
die bemoostern
die getrostern

ostig

frostig
rostig

ot

Allod
Angebot
Aufgebot
bedroht
Boot
Brot
  Abendbrot
  Gnadenbrot
  Zuckerbrot (und Peitsche)
Despot
devot
Exot
Gebot
Helot
Idiot
Jod
kommod

Kot
Lot
marod
Not
  Atemnot
  Feuersnot
  Wassersnot
Pilot
Rot (Röte)
  Abendrot
  Morgenrot
rot
sapperlot!
Schlot
Schockschwerenot!
Schrot
Tod
  Heldentod
  Hungertod
  Soldatentod
tot
Verbot
verloht
verroht
Zelot
er droht
ihr floht
es loht
(siehe **ohen**)
ich bot
ich lot
(siehe **oten**)

ote

Anekdote
Bote
  Götterbote
  Unglücksbote
Exote
Knote   *GALEOTE*
Muskote
Note
Pfote
Quote
der Rote

Schote
Zote
im Boote
im Lote
der Tote
(siehe **ot**)
ich drohte
es lohte
(siehe **oten**)

oten

ausbooten
sie boten
  entboten
  geboten
  verboten
sie drohten
  bedrohten
geboten
Knoten
knoten
sie lohten
  verlohten
loten
verboten
sie verrohten
die Piloten
den Schloten
die devoten
(siehe **ot**)
nach Noten
die Quoten
(siehe **ote**)

oter

Sapperloter
ein bedrohter
ein roter
(siehe **ot**)

otig

knotig
kotig
zotig

otik

Erotik
Gotik

otisch

anekdotisch
chaotisch
despotisch
erotisch
exotisch
gotisch
hypnotisch
idiotisch
narkotisch
neurotisch
zelotisch

oto

Foto
Toto

otor

Motor
Rotor

ott

Bank(e)rott
bigott
Boykott
Don Quichotte
Fagott
Falott
flott
Gott
Hot
hott!
Hüh und Hott
Komplott
Kompott
Pott
Sansculotte

Schafott
Schott
Schrott
Spott
Trott
die Gavott'
der Hottentott'
(siehe **otte**)
ich sott
ich spott
(siehe **otten**)

otte

Bergamotte
Flotte
Gavotte
Grotte
Hottentotte
Hugenotte
Karotte
Klamotte
Kokotte
Marotte
Motte
Rotte
Schamotte
Sprotte
Zotte
die Komplotte
der bigotte
(siehe **ott**)
ich trotte
ich verschrotte
(siehe **otten**)

ottel

Gezottel
Trottel
Zottel

otteln

trotteln
zotteln

den Trotteln
den Zotteln

ottelt

vertrottelt
verzottelt
er trottelt
er zottelt

otten

ausrotten
einmotten
hartgesotten
Kotten
sie sotten
spotten
    verspotten
trotten
vergotten
verrotten
verschrotten
zusammenrotten
die Schotten (Schiffswände)
die flotten
(siehe **ott**)
die Flotten
die Grotten
(siehe **otte**)

otter

Dotter
Geschlotter
Globetrotter
Otter
Schotter
ein bigotter
ein flotter

ottern

beschottern
schlottern
verlottern

317

die bigottern
die flottern

ottert

beschottert
verlottert
er schlottert

ottet

ausgerottet
eingemottet
vergottet
verrottet
verschrottet
verspottet
er spottet
er trottet
(siehe **otten**)

ottich(g)

Bottich
zottig
sott ich
trott ich
verspott ich
(siehe **otten**)

otto

Hotto
Lotto
Motto
Risotto

otz

Klotz
potz!
Protz
Rotz
Trotz
leider Gotts!
des Komplotts
Fotz

des Schafotts
(siehe **ott**)
ich rott's (aus)
ich sott's
(siehe **otten**)
ich glotz
ich protz
(siehe **otzen**)

otzen

abprotzen
glotzen
beglotzen
kotzen
protzen
schmarotzen
strotzen
trotzen
ertrotzen
den Protzen

otzig

klotzig
(groß)kotzig
protzig
rotzig
trotzig

ou, our, ous, out

(siehe **u, ur, ūs, ut**)

ouille (uije)

Bredouille
Patrouille

ove, oven

(siehe **ofe, ofen**)

ox

(siehe **ochs**)

u

Atout
Bijou
Billetdoux
Clou
Coup
Dessous
du
Filou
Fluh
Froufrou
Getu
Gnu
Hautgout
hu!
huhu!
Interview
Irish-Stew
Kakadu
Känguruh
Kanu
Kuh
Marabu
muh!
nanu!
Nu
  im Nu
partout
Passepartout
puh!
Ragout
Rendezvous
Review
Schmu
Schuh
Sou
tabu
zu
... zu
  dazu

herzu
hinzu
immerzu
die Ruh'
die Schuh'
(siehe **uhe**)
ich ruh
ich tu
(siehe **uhen**)

ūb

Beelzebub
Bub
Cherub
Hub
Schub
ich grub

ŭb

(siehe **upp**)

ubben

Knubben
schrubben

ubber

Geblubber
Schrubber

ubbern

blubbern
den Schrubbern

ube

Bube
Grube
Stube
Tube

319

ubel

Gejubel
Jubel
Rubel
Trubel

ubeln

jubeln
verjubeln
sich vertrubeln

uben

sie gruben
die Buben
die Stuben
(siehe **ube**)

ūch

Besuch
Buch
  Liederbuch
  Tagebuch
  Wörterbuch
Eunuch
Fluch
Gesuch
Tuch
  Halstuch
  Hungertuch
Versuch
ich besuch
ich fluch
(siehe **uchen**)

ŭch

Bruch
  Friedensbruch
  Wolkenbruch
Geruch
Spruch
Widerspruch

uche

Buche
Gefluche
Suche
am Hungertuche
die Versuche
(siehe **ūch**)
ich buche
ich verfluche
(siehe **uchen**)

uchen

besuchen
buchen (einschreiben lassen)
buchen (aus Buchenholz)
Ersuchen
ersuchen
fluchen
  verfluchen
Kuchen
suchen
untersuchen
versuchen
die Buchen
den Besuchen
den Gesuchen
(siehe **ūch**)

ucher

Besucher
Sucher
Versucher
Wucher

uchern

wuchern
den Versuchern
(siehe **ucher**)

ūchs (uks)

Wuchs
des Flugs

des Zugs
(siehe **ug**)
er schlug's
er trug's
(siehe **ugen**)
des Spuks
er buk's
(siehe **uk**)

ŭchs (ucks)

Bux (Hose)
Crux
flugs
Fuchs
Gedrucks
Geglucks
Jux
Kux
Luchs
keinen Mucks
ich drucks
ich verjux
(siehe **uchsen**)
des Drucks
des Schmucks
(siehe **uck**)

uchse (uckse)

Buchse
Buxe
Gedruckse
Gegluckse
dem Fuchse
die Luchse
(siehe **uchs**)
ich druckse
ich verjuxe
(siehe **uchsen**)

uchsen (ucksen)

abluchsen
drucksen
sich fuchsen
glucksen

mucksen
verjuxen
die Buxen
den Luchsen
(siehe **ŭchs**)

ŭchst (uckst)

abgeluchst
(nicht) gemuckst
verdruckst
verjuxt
du druckst
du muckst
(siehe **uchsen**)

ūcht

verbucht
verflucht
verrucht
untersucht
er bucht
er sucht
(siehe **uchen**)

ŭcht

Bucht
Eifersucht
Flucht
Frucht
Schlucht
Sucht
verrucht
Wucht
Zucht

ūchten

die Verfluchten
die Verruchten
(siehe **ūcht**)
sie besuchten
sie buchten
(siehe **uchen**)

321

üchten

ausbuchten
befruchten
fruchten
Juchten
wuchten
die Buchten
die (Zimmer)fluchten
(siehe **ücht**)

uchtet

ausgebuchtet
befruchtet
hochgewuchtet
es fruchtet
er wuchtet

uchtig

buchtig
schluchtig
wuchtig

uchtung

Ausbuchtung
Befruchtung

uchung

Buchung
Untersuchung
Verfluchung
Versuchung

uchzen

juchzen
schluchzen

uck

gluck, gluck!
hau ruck!
Mameluck

Puck
Ruck
Schluck
Schmuck
schmuck
tucktuck!
ich guck
ich spuck
(siehe **ucken**)

ucke

Glucke
Hucke
meschugge
Mucke
Schnucke
  Heidschnucke
Spucke
die Schlucke
dem Schmucke
(siehe **uck**)
ich ducke
ich zucke
(siehe **ucken**)

uckel

Buckel
Geruckel
Geschuckel
Gezuckel
Huckel
Nuckel

uckelchen

Buckelchen
Nuckelchen
Schnuckelchen

uckeln

aufbuckeln
aufhuckeln
katzbuckeln

nuckeln
ruckeln
schuckeln
zuckeln

ucken

drucken
ducken
glucken
gucken
hucken
jucken
mucken
  aufmucken
rucken
Schlucken
schlucken
  verschlucken
spucken
zucken
  zusammenzucken
den Schlucken
die schmucken
(siehe **uck**)
die Glucken
die Mucken
(siehe **ucke**)

ucker

Drucker
Gucker
  Operngucker
  Sterngucker
  Topfgucker
Mucker
(armer) Schlucker
Zucker
ein schmucker

uckern

muckern
tuckern
zuckern

den Druckern
den (armen) Schluckern
(siehe **ucker**)

ucks

(siehe **üchs**)

uckt

Aquädukt
(wie) gedruckt
geduckt
Produkt
vermuckt
verschluckt
Viadukt
er guckt
es juckt
(siehe **ucken**)

ud

(siehe **ut**)

uddeln

buddeln
schmuddeln
schnuddeln

ude

Botokude
Bude
Drude
Grude
Jude
Lude

udel

Gedudel
Gehudel
Gesudel
Nudel
Prudel

323

Pudel
Rudel
Sprudel
Strudel (Wasserdrehung)
Strudel (Gebäck)

udeln

besudeln
dudeln
hudeln
lobhudeln
nudeln
prudeln
sprudeln
strudeln
sudeln
trudeln
in Rudeln
den Sprudeln
(siehe **udel**)

udelt

abgetrudelt
besudelt
gehudelt
genudelt
gesudelt
versprudelt
er dudelt
er sudelt
(siehe **udeln**)

uden

sie luden
die Buden
den Luden
(siehe **ude**)

uder

Bruder
Fuder
Geschluder

Luder
Puder
Ruder
Schindluder

udern

anludern
pudern
rudern
schludern
verludern
den Fudern
den Rudern
(siehe **uder**)

udert

gepudert
geschludert
verludert
er rudert
er schludert
(siehe **udern**)

u-e

(siehe **uhe**)

ü

Aperçu
Atü
Avenue
Bellevue
Debut
Fichu
früh
hottehü!
hü!
Impromptu
Menü
Parvenü
perdu
Revue
in der Früh'

die Müh'
   Liebesmüh'
   des Tages Müh'
(siehe **ühe**)
ich bemüh
ich glüh
(siehe **ühen**)

üb

trüb
Polyp
stereotyp
Typ
ich grüb'
ich üb
(siehe **üben**)

übchen

Bübchen
Grübchen
Rübchen
Stübchen

übe

Rübe
die Schübe
Trübe
trübe
ich grübe
ich übe
(siehe **üben**)

übel

Bübel
Dübel
Gegrübel
Kübel
Stübel
Übel
ich grübel
ich verübel
(siehe **übeln**)

übeln

dübeln
grübeln
verübeln
den Kübeln
den Übeln
(siehe **übel**)

üben

betrüben
drüben
sie grüben
hüben
sie hüben
sie schüben
trüben
üben
verüben
die Rüben
im Trüben
(siehe **übe**)

über

Nasenstüber
über
   darüber
   (drunter und) drüber
   gegenüber
   herüber
   hinüber
   vornüber
   vorüber
ein trüber

üblein

Büblein
Stüblein

übler

Grübler
ein übler

üblich

betrüblich
üblich

übt

betrübt
geübt
ihr grübt
ihr übt
(siehe **üben**)

übung

Trübung
Übung

üche

Küche
die Brüche
die Gerüche
die Sprüche
die Widersprüche

ücher

die Bücher
   Tagebücher
   Wörterbücher
die Tücher

üchig

anrüchig
brüchig
wortbrüchig

üchlein

Büchlein
Tüchlein

üchlein

Küchlein
Sprüchlein

üchlich

unverbrüchlich
widersprüchlich

üchse

Büchse
die Füchse

ücht

Gerücht
Gezücht
ich flücht
ich zücht

üchte

Gezüchte
die Früchte
die Gerüchte
die Süchte
ich flüchte
ich züchte

üchten

flüchten
züchten
den Früchten
den Gerüchten

üchter

Züchter
ich ernüchter
ich schüchter (ein)

üchtern

einschüchtern
ernüchtern
nüchtern
schüchtern
den Züchtern

üchtert

eingeschüchtert
ernüchtert

üchtig

eifersüchtig
flüchtig
süchtig
tüchtig
züchtig

üchtigen

ertüchtigen
sich verflüchtigen
züchtigen
die Süchtigen
die tüchtigen
(siehe **üchtig**)

üchtigt

berüchtigt
ertüchtigt
verflüchtigt
er züchtigt
(siehe **üchtigen**)

ück

Glück
  Liebesglück
  Mutterglück
Stück
  Einzelstück
  Meisterstück
  Mittelstück
zurück
die Brück'
die Mück'
(siehe **ücke**)
ich bück
ich entzück
(siehe **ücken**)

ückchen

Brückchen
Perückchen
Schlückchen
Stückchen

ücke

Brücke
Krücke
Lücke
Mücke
Perücke
Tücke
zurücke
dem Glücke
die Stücke
(siehe **ück**)
ich beglücke
ich zerpflücke
(siehe **ücken**)

ücken

bedrücken
beglücken
berücken
bücken
drücken
  erdrücken
Entzücken
entzücken
glücken
  mißglücken
pflücken
  zerpflücken
Rücken
rücken
  verrücken
schmücken
überbrücken
unterdrücken
zücken
den Meisterstücken
die Lücken

die Tücken
(siehe **ücke**)

ückend

bedrückend
beglückend
berückend
drückend
erdrückend
entzückend
schmückend
(siehe **ücken**)

ücks

hinterrücks
des Glücks
des Meisterstücks
(siehe **ück**)
ich schmück's
pflück's!
(siehe **ücken**)

ückt

bedrückt
beglückt
eingedrückt
entzückt
gebückt
verrückt
verzückt
es glückt
er pflückt
(siehe **ücken**)

ückung

Bedrückung
Beglückung
Entrückung
Schmückung
Überbrückung
Unterdrückung
Verzückung

üd

(siehe **üt**)

üde

Etüde
müde
Platitüde
prüde
Rüde
rüde
ich ermüde
ich lüde
(siehe **üden**)

üden

ermüden
sie lüden
Süden
die Müden
die Rüden
(siehe **üde**)

üder

Brüder
ein müder
ein prüder
ein rüder

üdlich

südlich
unermüdlich

üfen

prüfen
sie schüfen

üfer

Küfer
Prüfer

üffe

die Knüffe
die Püffe
ich verblüffe

üffel

Büffel
Gebüffel
Geschnüffel
Rüffel
Schlüffel
Süffel
Trüffel

üffeln

büffeln
müffeln
rüffeln
süffeln
den Süffeln
die Trüffeln
(siehe **üffel**)

üffen

verblüffen
den Knüffen
den Püffen

üfft

(siehe **üft**)

ūft

schwergeprüft
er prüft
ihr schüft

üft

verblüfft
die Düft'

die Lüft'
(siehe **üfte**)
ich lüft
ich verblüfft'
(siehe **üften**)

üfte

die Düfte
die Grüfte
Hüfte
die Klüfte
die Lüfte
die Schlüfte
ich lüfte
ich verblüffte

TÜFTELN

üften *TÜFTEN*

lüften
sie verblüfften
zerklüften
die Hüften
den Lüften
(siehe **üfte**)

üftet

gelüftet
zerklüftet
ihr lüftet
ihr verblüfftet

TÜFTLER

üge

die Bezüge (Beziehungen)
die Bezüge (Überzüge)
Gefüge
Lüge
Rüge
die Züge
  Charakterzüge
  Eisenbahnzüge
  Sonderzüge
  Straßenzüge
  Winkelzüge

es genüge!
er schlüge
(siehe **ügen**)

ügel

Bügel
Flügel
Geflügel
Hügel
Prügel
Zügel

ügeln

beflügeln
bügeln
klügeln
  ausklügeln
prügeln
  verprügeln
überflügeln
zügeln
mit den Flügeln
auf den Hügeln
(siehe **ügel**)

ügen

sich begnügen
betrügen
fügen
genügen
lügen
  belügen
pflügen
rügen
sie schlügen
trügen
sie trügen (von tragen)
verfügen
sie vertrügen
Vergnügen
vergnügen
zufügen
die Lügen
die Rügen

in vollen Zügen
(siehe **üge**)

üger

Betrüger
klüger
Krüger
Pflüger
ein ungefüger

ügler

Bügler
Gutsauszügler
Adernflügler

üglich

bezüglich
  diesbezüglich
füglich
klüglich
untrüglich
unverzüglich
vergnüglich
vorzüglich

ügsam

fügsam
genügsam

ügt

umgepflügt
vergnügt
wohlgefügt
er rügt
ihr schlügt
(siehe **ügen**)

ühe

Brühe
Frühe
frühe

die Kühe
Mühe
ich glühe
ich sprühe
(siehe **ühen**)

ühen

blühen
  erblühen
  verblühen
brühen
  aufbrühen
  verbrühen
glühen
  erglühen
  verglühen
sprühen
  versprühen
verblühen (davongehen)
sich verfrühen
die Avenuen
die Revuen
die frühen
(siehe **ü**)
den Kühen
die Mühen
(siehe **ühe**)

ül

Brühl
Bühl
Gefühl
  Angstgefühl
  Fingerspitzengefühl
  Mitgefühl
  Schamgefühl
Gestühl
Gewühl
Kalkül
kühl
Molekül
Pfühl
schwül
Vestibül
ich fühl

ich kühl
(siehe **ülen**)

üle

Gestühle
Gewühle
Kühle
  Abendkühle
  Herbsteskühle
  Morgenkühle
Kanüle
Mühle
  Altweibermühle
  Sägemühle
  Schneidemühle
Schwüle
  Gewitterschwüle
die Stühle
die Gefühle
auf dem Pfühle
die kühle
(siehe **ül**)
ich spüle
ich wühle
(siehe **ülen**)

ülen

fühlen
kühlen
spülen
wühlen
  aufwühlen
  zerwühlen
den Gefühlen
die schwülen
(siehe **ül**)
die Mühlen
den Stühlen
(siehe **üle**)

üler

Fühler
Kühler
Schüler

Spüler
  Tellerspüler
Wühler
ein kühler
ein schwüler

üllen

brüllen
Füllen
füllen
  erfüllen
hüllen
  einhüllen
  enthüllen
  verhüllen
knüllen
  zerknüllen
die Hüllen
die Idyllen
(siehe **ülle**)

üll

Beryll
Chlorophyll
Gebrüll
Idyll
Müll
Tüll
ich brüll
ich füll
(siehe **üllen**)

ülle

Fülle
Gebrülle
Hülle
Idylle
knülle
Sibylle
Tülle
ich enthülle
ich zerknülle
(siehe **üllen**)

üller

Brüller
Erfüller
Füller
Knüller
Müller

üllung

Enthüllung
Erfüllung
Füllung
Verhüllung

ült

abgekühlt
aufgewühlt
ausgespült
tiefgefühlt
verkühlt
zerwühlt
er fühlt
er kühlt
(siehe **ülen**)

ülung

Fühlung
Kühlung
Spülung

üm

anonym
Kostüm
Pseudonym
pseudonym
Synonym
Ungestüm
ungestüm
Ungetüm
ich rühm

ümchen

Blümchen
Kostümchen

Krümchen
Mühmchen

üme

ich rühme
die Pseudonyme
die Ungetüme
der ungestüme
(siehe **üm**)

ümeln

altertümeln
krümeln
sich verkrümeln

ümen

rühmen
verblümen
den Kostümen
den Ungetümen
die ungestümen
(siehe **üm**)

ümer

die Altertümer
Eigentümer
die Fürstentümer
die Heiligtümer
Rühmer
ein ungestümer

ümlich(g)

altertümlich
eigentümlich
krümlig
rühmlich

ümmel

Getümmel
Herumgelümmel

Kümmel
Lümmel
ich brümmel
ich verstümmel
(siehe **ümmeln**)

ümmeln

brümmeln
kümmeln
mümmeln
verstümmeln
den Lümmeln

ümmer

dümmer
die Trümmer
ich kümmer (mich)
ich verkümmer
ich zertrümmer

ümmern

sich kümmern
verkümmern
zertrümmern
unter Trümmern
einen dümmern

ümmert

verkümmert
zertrümmert
er verkümmert
er zertrümmert

ümpel

Gerümpel
Hümpel
Tümpel

ümpeln

ausrümpeln
hümpeln
den Tümpeln

ümper

Krümper
Stümper
ich stümper

ümpfe

die Rümpfe
die Sümpfe
die Strümpfe
die Stümpfe
die Trümpfe
ich rümpfe

ümpfen

rümpfen
den Sümpfen
den Stümpfen
(siehe **ümpfe**)

ümt

berühmt
geblümt
unverblümt
er rühmt

ün

grün
Immergrün
kühn
Misogyn
blühn
glühn
(siehe **ühen**)
ich grün
ich sühn
(siehe **ünen**)

ündchen

Bündchen
Fündchen

Hündchen
Mündchen
Stündchen

ünde

die Gründe
Pfründe
die Schründe
Sünde
ich gründe
ich künde
(siehe **ünden**)

ündeln

bündeln
gründeln
zündeln

ünden

begründen
ergründen
gründen
künden
  verkünden
münden
ründen
sie stünden
sich verbünden
sie verstünden
zünden
den Gründen
die Sünden
(siehe **ünde**)

ünder

gesünder
Gründer
  Begründer
Künder
  Verkünder
Sünder
Zünder

ündern

plündern
den Gründern
die gesündern
(siehe **ünder**)

ündig

bündig
fündig
hintergründig
mündig
. . . pfündig
 zwanzigpfündig
. . . stündig
 siebenstündig
sündig
vordergründig

ündigen

entmündigen
kündigen
sündigen
verkündigen
die bündigen
die hintergründigen

ündlich

entzündlich
gründlich
mündlich
 fernmündlich
stündlich
sündlich
unergründlich

ündung

Begründung
Entzündung
Ergründung
Gründung
Mündung

Verkündung
Zündung

üne

Bühne
Düne
Hüne
Sühne
Tribüne
ins Grüne
der kühne
(siehe **ün**)
ich grüne
ich sühne
(siehe **ünen**)

ünen

sich erkühnen
grünen
sühnen
im Grünen
die kühnen
(siehe **ün**)
die Bühnen
die Tribünen
(siehe **üne**)

üner

die Hühner
Sühner
ein grüner
ein kühner

ünfte

der fünfte
die Zünfte
die Zusammenkünfte

ünftig

künftig
vernünftig
zünftig

ünge

die Sprünge
ich dünge
ich sprünge
(siehe **üngen**)

üngen

düngen
sie schwüngen
sie sprüngen
verjüngen
den Sprüngen

ünger

Dünger
Jünger
jünger

ünlich

grünlich
kühnlich

ünste

der dünnste
die Dünste
ich dünste
die Feuersbrünste
die Künste

ünsten

dünsten
die dünnsten
den Künsten
(siehe **ünste**)

ünstig

blutrünstig
brünstig
günstig

ünstigen

begünstigen
die brünstigen
(siehe **ünstig**)

ünung

Dünung
Sühnung

üpfen

hüpfen
knüpfen
lüpfen
schlüpfen
  entschlüpfen
verknüpfen

üppchen

Grüppchen
Püppchen
Süppchen

üppel

Knüppel
Krüppel

üppeln

verkrüppeln
den Knüppeln
den Krüppeln

ür

Clair-obscur
für (und für)
... für
  dafür
  hierfür
  wofür
Gebühr
Geschwür

Kür
en miniature
Reaumur
Tür
Ungebühr
die Ouvertür'
die Walkür'
(siehe **üre**)
ich führ
ich rühr
(siehe **üren**)

ürchen

Figürchen
Hürchen
am Schnürchen
Türchen
Ührchen

ürde

Bürde
Hürde
Würde
ich bürde (auf)
ich würde

ürden

aufbürden
sie würden
die Bürden
die Hürden
die Würden

üre

Allüre
Bordüre
Broschüre
die Geschwüre
Gravüre
Konfitüre
Lektüre
Maniküre
Ouvertüre

Pediküre
die Schnüre
die Schwüre
Türe
Walküre
ich schüre
ich spüre
(siehe **üren**)

üren

aufspüren
berühren
entführen
sie erführen
erküren
führen
  abführen
  fortführen
  irreführen
maniküren
pediküren
rühren (eine Masse bewegen)
  anrühren
  umrühren
  verrühren
rühren (das Gemüt erregen)
schnüren
schüren
spüren
  verspüren
überführen
verführen
die Gebühren
den Geschwüren
die Broschüren
die Lektüren
(siehe **üre**)

ürfe

die Entwürfe
die Würfe
ich schlürfe
ich schürfe
(siehe **ürfen**)

ürfen

bedürfen
dürfen
schlürfen
schürfen
sie würfen
den Entwürfen
den Würfen

ürfnis

Bedürfnis
Zerwürfnis

ürge

Bürge
ich bürge
ich würge
(siehe **ürgen**)

ürgen

bürgen
  verbürgen
würgen
  erwürgen
die Bürgen

ürger

Bürger
Würger

ürlich

ausführlich
figürlich
gebührlich
  ungebührlich
kreatürlich
natürlich
  unnatürlich
  widernatürlich
willkürlich
  unwillkürlich

ürme

Gewürme
die Stürme
die Türme
ich stürme
ich türme
(siehe **ürmen**)

ürmen

bestürmen
stürmen (daherbrausen)
stürmen (erobern)
türmen
den Stürmen
den Türmen

ürmer

Stürmer
  Gipfelstürmer
Türmer
die Würmer

ürnen

hürnen
zürnen

ürste

Bürste
die Würste
der dürrste
ich bürste
ich dürste

ürsten

bürsten
die dürrsten
dürsten
die Fürsten
den Bürsten
den Würsten

ürt

aufgespürt
(peinlich) berührt
entführt
gerührt
überführt
verführt
er schürt
er spürt
(siehe **üren**)

ürung

Berührung
Entführung
Führung
Irreführung
Rührung
Unterführung
Verführung
Verschnürung

ürze

die Gewürze
Kürze
Schürze
die Stürze
Würze
ich stürze
ich verkürze
(siehe **ürzen**)

ürzen

kürzen
  verkürzen
schürzen
stürzen (fallen)
  abstürzen
  einstürzen
  hinunterstürzen
stürzen (fällen)
überstürzen
würzen

ürzt

bestürzt
gekürzt
(leicht) geschürzt
gewürzt
überstürzt
verkürzt
er schürzt
er stürzt
(siehe **ürzen**)

ürzung

Bestürzung
Kürzung
Überstürzung
Verkürzung

üs (üß)

süß
die Füß'
Gemüs'
ich büß
ich grüß
(siehe **üßen**)

üsch

Gebüsch
Plüsch

üs-chen (üßchen)

Blüschen
Flüschen
Füßchen
Müschen

üse

Analyse
Drüse
Düse
Gemüse
Kombüse

üße

Süße
die Füße
die Grüße
ich büße
ich grüße
(siehe **üßen**)

üßen

büßen
einbüßen
grüßen
  begrüßen
süßen
  versüßen
verbüßen
zu Füßen

üßer

Büßer
ein süßer

üßig

barfüßig
müßig
büß ich
grüß ich
(siehe **üßen**)

üsse

die Flüsse
die Güsse
die Küsse
die Nüsse
ich küsse
er müsse

üssel

Rüssel
Schlüssel
Schüssel

üssen

küssen
müssen
den Flüssen
den Küssen
(siehe **üsse**)

üssig

flüssig
schlüssig
überdrüssig
überflüssig
unschlüssig

ūst (ǚßt)

gesüßt
verbüßt
wüst
du blühst
du glühst
(siehe **ühen**)
er büßt
er grüßt
(siehe **üßen**)

ŭst (ǚßt)

Gelüst
Gerüst
ungeküßt
er küßt
ich wüßt'

ūste (ǖßte)

Büste
Wüste
es süßte
er verbüßte
(siehe **üßen**)

ŭste (ǚßte)

die Brüste
die Gelüste

die Gerüste
Küste
die Lüste
Rüste
Zyste
ich küßte
ich müßte
ich wüßte

ūsten (üßten)

die frühsten
wüsten
  verwüsten
die wüsten
die Büsten
die Wüsten
sie büßten
sie süßten
(siehe **üßen**)

ŭsten (üßten)

sich brüsten
sich entrüsten
rüsten
sie küßten
sie müßten
sie wüßten
die ungeküßten
den Gelüsten
den Küsten
(siehe **üste**)

üster

düster
Rüster
Verwüster
ein gesüßter
ein verbüßter
ein wüster

ŭster (üßter)

Geflüster
Küster

Lüster
Nüster
ein niegeküßter

üstern

verdüstern
die Rüstern
die wüstern

ŭstern

flüstern
lüstern
den Küstern
die Nüstern
(siehe **üster**)

üstig

(breit)brüstig
rüstig
wollüstig

üstung

Brüstung
Entrüstung
Rüstung

üt

abgebrüht
Elektrolyt
erblüht
ich ermüd
Geblüt
Gemüt
Gestüt
ich lüd'
müd
Proselyt
prüd
rüd
Süd
Troglodyt

verblüht
verfrüht
verglüht
es blüht
er glüht
(siehe **ühen**)
Gott behüt!
ich vergüt
(siehe **üten**)

ütchen

Gütchen
Hütchen
Tütchen

üte

Blüte
Güte
die Hüte
Kajüte
Mythe
Troglodyte
Tüte
es blühte
er sprühte
(siehe **ühen**)
im Gemüte
der verblühte
(siehe **üt**)
ich behüte
ich vergüte
(siehe **üten**)

üten

behüten
brüten
hüten
vergüten
verhüten
wüten
sie verglühten
sie verblühten
(siehe **ühen**)

den Gestüten
die abgebrühten
(siehe **üt**)
die Blüten
den Hüten
(siehe **üte**)

üter

Behüter
die Güter
Hüter
  Ladenhüter
die Gemüter
ein verblühter
(siehe **üt**)

ütig

edelmütig
wankelmütig
wütig
blüht' ich
lüd' ich
(siehe **üt**)

ütlich

gütlich
gemütlich
  ungemütlich

ütte

Bütte
Hütte
Schütte
ich schütte
ich zerrütte
(siehe **ütten**)

üttel

Büttel
Gerüttel
Geschüttel
Knüttel

Tüttel
ich rüttel
ich schüttel
(siehe **ütteln**)

ütteln

niederknütteln
rütteln
schütteln
  zusammenschütteln
den Bütteln
den Knütteln

ütten

Bütten
schütten
  verschütten
verhütten
zerrütten
die Bütten
die Hütten
die Schütten

ütter

die Mütter
schütter
ein lütter

üttern

erschüttern
füttern
den Müttern

ütterung

Erschütterung
Fütterung

üttung

Aufschüttung
Ausschüttung

Verhüttung
Zerrüttung

ütung

Hütung
Vergütung
Verhütung

ütz

Geschütz
nütz
Mütz'
Schütz'
(siehe **ütze**)
ich nütz
ich stütz
(siehe **ützen**)

ütze

Grütze
Mütze
Pfütze
Schütze
Stütze
ich nütze
ich schütze
(siehe **ützen**)

ützen

benützen
nützen
schützen
  beschützen
stützen
unterstützen
den Geschützen
die unnützen
(siehe **ütz**)
die Mützen
die Stützen
(siehe **ütze**)

ützer

Benützer
Beschützer
ein unnützer

ützt

abgestützt
geschützt
ungenützt
er nützt
er schützt
(siehe **ützen**)

uf

Behuf
Beruf
Huf
Luv
Ruf
Verruf
Vesuv
Widerruf
ich ruf
ich schuf
(siehe **ufen**)

ufe

Hufe (Landstück)
Kufe
Stufe
   Altersstufe
   Treppenstufe
ich rufe
die (Pferde)hufe
die Rufe
(siehe **uf**)

ufen

einstufen
rufen
   berufen

sie schufen
unberufen
verrufen
den Hufen
den Rufen
(siehe **uf**)
die Kufen
die Stufen
(siehe **ufe**)

ufer

Rufer
Ufer

uff

Bluff
Knuff
Muff
piff-paff-puff!
Puff
Suff
Tuff

uffe

Muffe
dem Muffe
im Suffe
(siehe **uff**)
ich knuffe
ich puffe
(siehe **uffen**)

uffen

bluffen
knuffen
puffen
verpuffen

uft

Duft
Gruft

344

Kluft
Luft
Schluft
Schuft
verpufft
ich duft
ich schuft
(siehe **uften**)
er knufft
es pufft
(siehe **uffen**)

uften

duften
schuften
verduften
den Schuften
sie knufften
sie pufften
(siehe **uffen**)

uftig

duftig
luftig
schuftig

ug

Betrug
Bezug (Beziehung)
Bezug (Überzug)
  Bettbezug
Bug
Flug
  Gedankenflug
  Schwalbenflug
  Wolkenflug
mit Fug (und Recht)
genug
klug
  superklug
Krug
Lug (und Trug)
Pflug

Trug
Verzug
Zug (Eigenschaft)
  Charakterzug
Zug (Reihe von Wagen usw.)
  Sonderzug
  Straßenzug
ich lug
ich trug
(siehe **ugen**)

uge

Fuge
ich luge
im Fluge
der kluge
(siehe **ug**)

ugen

sie frugen
fugen
lugen
sie schlugen
  beschlugen
  zerschlugen
sie betrugen (sich)
sie (die Rechnungen) betrugen
sie trugen
sie vertrugen
die Fugen
die klugen

ugend

Jugend
lugend
Tugend

ugt

unbefugt
er lugt
ihr trugt
(siehe **ugen**)

uhe

Getue
Ruhe
  Grabesruhe
  Seelenruhe
Truhe
die Schuhe
ich geruhe
ich tue
(siehe **uhen**)

uhen

beschuhen
geruhen
muhen
ruhen
tuen
den Schuhen
die Truhen
(siehe **uhe**)

uk

Spuk
  Hexenspuk
  Teufelsspuk
er buk

KADUK = frail
BROKEN - DOWN

uke

Kruke
Luke
dem Spuke
ich spuke

uken

sie buken
spuken
die Luken

ūks

(siehe **ūchs**)

346

ul

Pfuhl
somnambul
Stuhl
Uhl (Eule)
die Schul'
ich buhl
ich spul
(siehe **ulen**)

uld

(siehe **ŭlt**)

ulde

Mulde
ich dulde
ich schulde

ulden

dulden
  erdulden
Gulden
schulden
verschulden
die Mulden
die Schulden

uldet

geduldet
verschuldet

uldig

geduldig
  ungeduldig
muldig
schuldig

uldigen

beschuldigen
entschuldigen
huldigen

die Schuldigen
die Geduldigen

ule

Buhle
Kuhle
Schule
Somnambule
Spule
Suhle
Thule
ich buhle
ich spule
(siehe **ulen**)

ulen

buhlen
  umbuhlen
pulen
schulen
spulen
suhlen
verspulen (essen)
die Buhlen
die Schulen
(siehe **ule**)

ulk

Pulk
Ulk

ull

John Bull
Mull
Null
null

ulle

Ampulle
der Bulle
die Bulle

Pulle
Schatulle
Schrulle
Stulle
ich lulle (ein)
(siehe **ullen**)

ullen

einlullen
pullen (rudern)
strullen
die Nullen
die Schrullen
(siehe **ulle**)

ullern

bullern
kullern

ulpe

Nulpe
Stulpe
Tulpe

ulst

durchpulst
Geschwulst
Wulst
du lullst (ein)

ūlt

aufgespult
geschult
verbuhlt
er schult
(siehe **ulen**)

ŭlt

eingelullt
Geduld

347

Huld
Insult
Katapult
okkult
Pult
Schuld
Tumult
er lullt (ein)
ich erduld
ich schuld
(siehe **ulden**)

ulter

Schulter
ein eingelullter
ein okkulter

ulze

Schnulze
Schulze
Sulze

ūm

Boom
Groom
Konsum
postum
Ruhm
. . . tum
  Altertum
  Bürgertum
  Eigentum
  Fürstentum
  Heidentum
  Heiligtum
  Heldentum
  Judentum
  Königtum
  Muckertum
  Priestertum
  Protzentum
  Rittertum
  Witwentum

ŭm

Aquarium
Brimborium
bumm, bumm!
Delirium
Diarium
dumm
Elysium
Evangelium
Fluidum
Gaudium
Gebrumm
Gesumm
Gymnasium
Harmonium
Herbarium
Kollegium
Konservatorium
Kriterium
krumm ·
Medium
Minimum
Ministerium
Mumm
Mysterium
Narkotikum
Odium
Opium
Panoptikum
Planetarium
Podium
Proszenium
Publikum
Rum
Säkulum
Sammelsurium
Silentium
Stipendium
Studium
stumm
Terrarium
Trumm
Tuskulum
um (aus)
. . . um

herum	**ummel**
hinum	
ringsum	Bummel
Unikum	Gebrummel
Vakuum	Gefummel
warum	Hummel
worum	Pummel
zum	Rummel
ich brumm	Stummel
ich summ	ich bummel
(siehe **ummen**)	ich tummel
	(siehe **ummeln**)
ume	
	ummeln
Blume	
Krume	bummeln
Muhme	verbummeln
im Heiligtume	einmummeln
zum Ruhme	fummeln
(siehe **um**)	befummeln
	mummeln
	schummeln
umen	beschummeln
	tummeln
Lumen	den Hummeln
Volumen	den Stummeln
die Blumen	(siehe **ummel**)
die Krumen	
(siehe **ume**)	
	ummelt
umm	befummelt
	beschummelt
(siehe **ŭm**)	eingemummelt
	verbummelt
	er mummelt
umme	er tummelt
	(siehe **ummeln**)
Gebrumme	
Gesumme	
Kumme	**ummen**
Lumme	
Summe	aufbrummen
der dumme	brummen
der krumme	summen
der stumme	verdummen
(siehe **ŭm**)	vermummen
ich verdumme	verstummen
ich verstumme	
(siehe **ummen**)	

349

die dummen
die krummen
die stummen
die Summen

ummer

Brummer
Hummer
Kummer
Nummer
Schlummer
Schummer
Summer
ein dummer
ein krummer
ein stummer

ummern

schlummern
  einschlummern
  entschlummern
schummern
den Brummern
den Summern
(siehe **ummer**)

ummt

(siehe **umt**)

ummung

Verdummung
Vermummung

ump

Klump
Lump
plump
Pump
ich lump
ich pump
(siehe **umpen**)

umpe

Plumpe
Pumpe
Schlumpe
ich lumpe
ich pumpe
(siehe **umpen**)

umpel

Gehumpel
Gerumpel
Kumpel
Pumpel
Rumpel
Rumpumpel
Schrumpel
Stumpel

umpelig

(siehe **umplig**)

umpeln

humpeln
rumpeln
schrumpeln
überrumpeln
den Kumpeln
den Pumpeln
(siehe **umpel**)

umpen

Humpen
Klumpen
Lumpen (Stoffreste)
lumpen (liederlich leben)
(sich nicht) lumpen (lassen)
pumpen
schlumpen
Stumpen
verpumpen
zerlumpen

die Klumpen
die Lumpen (Strolche)
(siehe **ump**)
die Pumpen
die Schlumpen
(siehe **umpe**)

umpf

dumpf
Rumpf
Strumpf
Stumpf
stumpf
Trumpf
ich schrumpf
ich sumpf
(siehe **umpfen**)

umpfen

abstumpfen
auftrumpfen
schrumpfen
sumpfen
 versumpfen
übertrumpfen
die dumpfen
die stumpfen

umpfig

dumpfig
sumpfig

umpft

abgestumpft
bestrumpft
übertrumpft
versumpft
zusammengeschrumpft
er schrumpft
er sumpft
(siehe **umpfen**)

umpig(ch)

klumpig
lumpig
verpump ich
(siehe **umpen**)

umplig

hump(e)lig
pump(e)lig
rump(e)lig
schrump(e)lig

umt

aufgebrummt
Kumt
verdummt
vermummt
verstummt
er brummt
er verstummt
(siehe **ummen**)

un

Schampun
dun
Huhn
immun
interviewen
Kattun
Monsun
Neptun
nun
 je nun!
opportun
Taifun
Tribun
den Schuhn
die Truhn
ruhn
vertun
(siehe **uhen**)

und

Befund
das Bund
der Bund
  Lebensbund
  Völkerbund
bunt
Fund
gesund
Grund
Hintergrund
Hund
  Höllenhund
  Schweinehund
Hunt
kund
kunterbunt
Mund
  Kindermund
  Plappermund
Pfund
profund
rund
Schlund
Schund
Schwund
Spund
Untergrund
Vagabund
wund
die Ehrenrund'
zur Stund'
(siehe **unde**)
ich bekund
ich verwund
(siehe **unden**)

undbar

kundbar
verwundbar

unde

der Kunde
die Kunde
  Schreckenskunde

Rotunde
Runde
  Ehrenrunde
  Freundesrunde
  Tafelrunde
Schrunde
Sekunde
  Schrecksekunde
Stunde
  Abendstunde
  Geisterstunde
  Morgenstunde
  Sterbestunde
Wunde
  Todeswunde
die Befunde
in aller Munde
zugrunde
(siehe **und**)
ich bekunde
ich verwunde
(siehe **unden**)

unden

(kurz) angebunden
bekunden
bevormunden
entschwunden
erkunden
gebunden
gefunden
geschwunden
geschunden
gesunden
gewunden
munden
runden
stunden
überrunden
ungebunden
unumwunden
verbunden
verschwunden
verwunden
den Hunden

den Gesunden
(siehe **und**)
die Kunden
die Wunden
(siehe **unde**)

under

Burgunder
Erkunder
Flunder
Holunder
jetzunder
Plunder
Wunder
Zunder
ein gesunder
ein runder
(siehe **und**)

undern

bewundern
sich wundern
den Holundern
den Wundern
(siehe **under**)

undert

bewundert
hundert
Jahrhundert
verwundert
er wundert (sich)

undet

abgerundet
bekundet
gestundet
gesundet
verwundet
er gesundet
es mundet
er überrundet
(siehe **unden**)

undig(ch)

kundig
  offenkundig
pfundig
schrundig
schundig
bekund ich
gesund ich
(siehe **unden**)

undung

Bekundung
Erkundung
Gesundung
Rundung
Stundung
Überrundung
Verwundung

undus

Fundus
Lumpazivagabundus
Moribundus

une

Buhne
Harpune
Kommune
Lagune
Rune
dem Huhne
die Monsune
der immune
(siehe **un**)

unft

Ankunft
Brunft
Niederkunft
Unterkunft
Vernunft
  Unvernunft

Zunft
Zusammenkunft

ung

Änderung
Äußerung
Bändigung
Beerdigung
Befähigung
Befestigung
Begeisterung
Beglaubigung
Begnadigung
Beherzigung
Behinderung
Belästigung
Beleidigung
Berechtigung
Bereicherung
Beruhigung
Beschädigung
Beschäftigung
Bescheinigung
Besserung
Bestätigung
Besteuerung
Betätigung
Beteuerung
Bevölkerung
Bewässerung
Bewilligung
Dämmerung
  Götterdämmerung
Dung
Einigung
Erbitterung
Erheiterung
Erinnerung
Erledigung
Erleichterung
Ermäßigung
Ernüchterung
Eroberung
Erschütterung
Feuerung

Forderung
Förderung
Fütterung
Genehmigung
Gliederung
Huldigung
jung
Kräftigung
Kreuzigung
Lästerung
Läuterung
Lieferung
Linderung
Maserung
Mäßigung
Mauserung
Milderung
Musterung
Neuerung
Niederung
Plünderung
Reinigung
Schädigung
Schilderung
Schwung
Sprung
  Hammelsprung
  Rösselsprung
  Seitensprung
Steuerung
Teuerung
Überlieferung
Verbrüderung
Verdächtigung
Vergatterung
Vergötterung
Verstädterung
Verwilderung
Wanderung
Witterung
Wucherung
Würdigung
Züchtigung
der Jung'
die Zung'
(siehe **unge**)

unge

Bunge
das Junge
der Junge
Lunge
Zunge
im Schwunge
beim Sprunge

ungen

ausbedungen
durchdrungen
entsprungen
erzwungen
gedungen
gedrungen
gelungen
geschwungen
mißlungen
notgedrungen
ungezwungen
verklungen
verschlungen
die Jungen
mit Engelszungen
(siehe **unge**)

unger

Herumgelunger
Hunger
ein junger

ungern

hungern
lungern

unk

Funk
Prunk
Strunk
Trunk

der Halunk'
die Spelunk'
(siehe **unke**)
ich funk
ich unk
(siehe **unken**)

unke

Bunke (Flegel)
Dschunke
Funke
Halunke
Spelunke
Tunke
Unke
dem Strunke
beim Trunke
ich prunke
ich tunke
(siehe **unken**)

unkel

Dunkel
dunkel
Furunkel
Gefunkel
Gemunkel
Geschunkel
Karbunkel
Karfunkel
Kunkel
Ranunkel
Runkel
ich munkel
ich schunkel
(siehe **unkeln**)

unkeln

dunkeln
funkeln
munkeln
schunkeln
verdunkeln

im Dunkeln
den Ranunkeln
(siehe **unkel**)

unken

betrunken
erstunken (und erlogen)
ertrunken
Funken
funken
prunken
trunken
  feuertrunken
  wonnetrunken
tunken
unken
versunken
die Funken
die Unken
(siehe **unke**)

unker

Bunker
Funker
Geflunker
Junker
Klunker

unkt

Adjunkt
Punkt
  Kontrapunkt
  Scheitelpunkt
  Wendepunkt
er funkt
er unkt
(siehe **unken**)

unsch

Flunsch
Punsch
Wunsch

unst

Brunst
  Feuersbrunst
  Hirschbrunst
Dunst
Gunst
Kunst

unt

(siehe **und**)

unte

Lunte
das Bunte
die Hunte

unten

unten
  drunten
den Hunten
die Lunten
die bunten

unter

munter
unter
  darunter
  herunter
  hinunter
  kopfunter
  mitunter
ein bunter

unze

Gegrunze
Punze
Unze
ich grunze
ich verhunze
(siehe **unzen**)

unzel

Funzel
Geschmunzel
Rapunzel
Runzel

unzeln

schmunzeln
den Funzeln
den Runzeln
(siehe **unzel**)

unzen

brunzen
grunzen
hunzen
  verhunzen
punzen
die Punzen
die Unzen

upe

Gehupe
Hupe
Lupe

upf

Gugelhupf
Hupf (Sprung)
Tupf
Unterschlupf

upfen

hupfen
lupfen
Rupfen
rupfen
schlupfen
Schnupfen
schnupfen

Tupfen
tupfen
zupfen
den Gugelhupfen
den Unterschlupfen

upp

Club
schwupp!
Trupp
die Supp'
die Bergeskupp'
(siehe **uppe**)

uppe

Gruppe
Kuppe
Puppe
Schaluppe
Schnuppe
  Sternschnuppe
schnuppe
Suppe
Truppe

uppeln

kuppeln
puppeln
verkuppeln

uppen

sich entpuppen
schuppen
sich verpuppen
die Gruppen
die Kuppen
(siehe **uppe**)

uppern

knuppern
schnuppern
  beschnuppern

uppig

puppig
ruppig
schuppig
struppig

upt

abrupt
geschuppt
verpuppt
er entpuppt (sich)
(siehe **uppen**)

ur

Agentur
l'amour
Architektur
Armatur
Bravour
Cour
Dressur
Dur
Figur
Flur
Fraktur
Frisur
Garnitur
Glasur
Intendantur
Inventur
Investitur
à jour
Kandidatur
Karikatur
Klaviatur
Klausur
Komtur
Konjunktur
Kontur
Korrektur
Kreatur
Kultur
Kur

Lasur
Literatur
Manufaktur
Mensur
Merkur
Miniatur
Mixtur
Montur
Natur
nur
obskur
Pandur
Partitur
Politur
Professur
pur
Quadratur
Rasur
Reparatur
retour
Ruhr
Schnur
Schur
Schwur
Signatur
Skulptur
Spur
Statur
Struktur
stur
Tambour
Temperatur
Tinktur
Tonsur
Tortur
Tour
Troubadour
Uhr
Ur
Velour
Zäsur
Zensur
zur
die Hur'
die Lemur'
(siehe **ure**)

358

ich fuhr
ich schwur
(siehe **uren**)

ure

Fuhre
Hure
Lemure
Lure
Mure
Schnure
Sinekure
Sure
die Troubadoure
eine obskure
(siehe **ur**)

uren

spuren
sie erfuhren
sie fuhren
sie schwuren
sie verfuhren
die Amouren
die Auguren
die Fluren
die Kreaturen
die sturen
(siehe **ur**)
die Lemuren
die Uhren
(siehe **ure**)

urf

Turf
Wurf
ich kurv
ich schlurf

urfe

Kurve
ich schlurfe

urg

Burg
Chirurg
Demiurg
Dramaturg

urie

Furie
Injurie
Kurie

urke

Gurke
Schurke

urksen

knurksen
murksen

urm

Sturm
Turm
Wurm

urren

gurren
knurren
murren
schnurren
schurren
surren
zurren

urrig

knurrig
kurrig
schnurrig

urrt

(siehe **ŭrt**)

urst

Durst
Wurst
du knurrst
du murrst
(siehe **urren**)

urstig

durstig
wurstig

ūrt

Geburt
er spurt
ihr schwurt
(siehe **uren**)

ŭrt

absurd
Furt
Gurt
Spurt
er schnurrt
er surrt
(siehe **urren**)

urten

spurten
die Furten
den Gurten
sie gurrten
sie schnurrten
(siehe **urren**)

urz

kurz
schnurz
Schurz
  Lendenschurz
Sturz
  Kassensturz

Wettersturz
Wurz
  Stendelwurz
des Gurts
des Spurts

urzel

Gepurzel
Sturzel
Wurzel

urzeln

purzeln
wurzeln
  entwurzeln
  verwurzeln
die Wurzeln

urzelt

entwurzelt
gepurzelt
verwurzelt
er purzelt

ūs (ūß)

abstrus
Blues
diffus
Fuß
Geschmus
Grus
Gruß
konfus
Mus
Ruß
Schmus
ich fuß
ich schmus
des Filous
des Schuhs
bist du's?
(siehe **u**)

ŭs (ŭß)

Autobus
Beschluß
Beschuß
Bus
Entschluß
Erguß
Famulus
Fidibus
Fluß
Genius
Genuß
Guß
Habitus
Homunkulus
Ikarus
Jus
Kuß
das (harte) Muß
ich muß
Nuß
Obolus
Omnibus
Pegasus
Pfiffikus
Plus
Radius
Schluß
Schuß
Sozius
Spiritus
Stuß *REDEN*
Syndikus
Tantalus
Überdruß
Überfluß
Überschuß
Verdruß
Verschluß
Zerberus

usch

Busch
Drusch

im Husch
husch, husch!
kusch!
Tusch
ich husch
ich vertusch
(siehe **uschen**)

usche

Babusche
Gusche *MUND*
Lusche *LOW CARD*
Retusche
im Busche
beim Drusche
(siehe **usch**)
ich kusche
ich verpfusche
(siehe **uschen**)

uschel

Gekuschel
Genuschel
Getuschel
Muschel
ich kuschel
ich tuschel
(siehe **uscheln**)

uscheln

kuscheln
nuscheln
tuscheln
die Muscheln

uschen

huschen
kuschen
pfuschen
    verpfuschen
tuschen
vertuschen
die Luschen

361

die Retuschen
(siehe **usche**)

use

das Abstruse
Arkebuse
Bluse
Druse
Fluse
Geschmuse
Meduse
Muse
Pampelmuse
(dumme) Suse
ich schmuse
ich verknuse
im Muse
der konfuse
(siehe **ūs**)

uße

Buße
Muße
am Fuße
dem Gruße
ich fuße

usel

Dusel
Fusel

uselig

(siehe **uslig**)

useln

beduseln
fuseln
gruseln

usen

Busen
schmusen

362

verknusen
die Blusen
die Medusen
(siehe **use**)

ußen

fußen
rußen
verrußen
die Bußen

uslig

dus(e)lig
fus(e)lig
grus(e)lig

usse

Russe
am Flusse
die Omnibusse
beim Schusse
(siehe **ŭs**)

ussel

Bussel
Dussel
Fussel
Schussel

ŭss(e)lig

duss(e)lig
ehrpuss(e)lig
fuss(e)lig
schuss(e)lig

ūst (ūßt)

Blust
Knust
verrußt
Wust

umschmust
er schmust
er fußt
er rußt
du ruhst
du tust
(siehe **uhen**)

üst (üßt)

August
bewußt
  unbewußt
  unterbewußt
Brust
  Hühnerbrust
  Gänsebrust
  Heldenbrust
gemußt
gewußt
just
Lust
  Frühlingslust
  Liebeslust
  Sinnenlust
du mußt
robust
Trust
Verlust
ich wußt'

uste (ußte)

Kruste
Languste
er mußte
er wußte
das Bewußte
die Verluste
der robuste
(siehe **üst**)

usten

Husten
husten
prusten

pusten
sich verpusten
sie schmusten

üster (ußter)

duster
Schuster
ein verrußter
ein umschmuster

üster (üßter)

illuster
Liguster
Muster
ein bewußter

üstern

aufplustern
schustern
im Düstern
den Schustern

üstern

mustern
den Ligustern
den Mustern
die illustern

ut

absolut
akut
Attribut
ausgeruht
beschuht
Blut
Brut
Disput
Flut
Glut
Gut
gut
der Hut
die Hut

Institut
Konvolut
Mut
Nut
Rekrut
resolut
Salut
Skorbut
Statut
Sud
Tribut
Tunichtgut
Übermut
Wankelmut
wohlgemut
Wut
zumut
der Botokud'
der Jud'
(siehe **ude**)
er geruht
er tut
(siehe **uhen**)
die Minut'
die Schnut'
(siehe **ute**)
ich blut
ich vermut
(siehe **uten**)

ute

Getute
Jute
Kanute
Knute
Minute
Nute
Pute
Redoute
Route
Rute
 Wünschelrute
Schnute
 Zuckerschnute
Schute

Stute
Tute
Vedute
Volute
zugute
zumute
es muhte
ich ruhte
(siehe **uhen**)
im Blute
der Gute
(siehe **ut**)
ich blute
ich tute
(siehe **uten**)

uten

bluten
 verbluten
fluten
 überfluten
muten
sich sputen
tuten
vermuten
zumuten
sie ruhten
die Fluten
den Instituten
die ausgeruhten
(siehe **ut**)
die Minuten
Spießruten (laufen)
(siehe **ute**)

utet

überflutet
verblutet
(wie) vermutet
(viel) zugemutet
es blutet
es tutet
ihr ruhet
(siehe **uten**)

utig

blutig
mißmutig
mutig
wutig

ūtsch

Geknutsch
Gelutsch
Mutsch (Kuh)
ich knutsch
ich lutsch
(siehe **ūtschen**)

ŭtsch

futsch
Putsch
Rutsch
die Kutsch'
die Rutsch'
ich putsch
ich rutsch

ūtsche

Geknutsche
Gelutsche
ich knutsche
ich lutsche

ŭtsche

Kutsche
Rutsche
ich putsche
ich rutsche

ūtschen

hutschen
knutschen
lutschen
zutschen

ŭtschen

putschen
  aufputschen

rutschen
die Kutschen
die Rutschen

ūtscher

Knutscher
Lutscher

ŭtscher

Kutscher
Rutscher

ūtscht

abgelutscht
ausgezutscht
er lutscht
(siehe **ūtschen**)

ŭtscht

aufgeputscht
verrutscht
er putscht
er rutscht

utt

Butt
Dutt
kaputt
Perlmutt
Schutt

utte

Butte
Hagebutte
Kutte
Nutte
Putte

utter

Butter
Futter
Kutter

Mutter (des Kindes)
Mutter (der Schraube)
Perlmutter

uttern

bemuttern
buttern
futtern
zubuttern (drauflegen)
den Kuttern
den Schraubenmuttern

uttert

bemuttert
vollgefuttert
zugebuttert
er futtert
(siehe **uttern**)

utung

Blutung
Vermutung
Überflutung

utz

Butz (Kobold)
Eigennutz
Putz
Schmutz
Schutz
Stutz
  Federstutz
Trutz
zunutz
ich putz
ich stutz
(siehe **utzen**)

utzeln

brutzeln
verhutzeln

utzen

aufmutzen
Butzen
Nutzen
nutzen
  benutzen
putzen
schmutzen
  beschmutzen
stutzen (aufmerken)
stutzen (verkürzen)
trutzen
verputzen (essen)

utzend

Dutzend
nutzend
sich putzend
stutzend
(siehe **utzen**)

utzer

Benutzer
Putzer
Revoluzzer
Stutzer

utzig

nichtsnutzig
putzig
schmutzig
stutzig
trutzig

utzt

abgenutzt
aufgemutzt
beschmutzt
geputzt
  angeputzt
gestutzt
  zugestutzt

ungenutzt
verdutzt
verschmutzt
er nutzt
er putzt
(siehe **utzen**)

utzung

Nutzung
Benutzung
Verschmutzung

ŭx

(siehe **ŭchs**)

uz

Uz (Spaß)
die Kapuz'
ich duz
ich uz

uzen

duzen
uzen
die Kapuzen

y

(siehe **ü**)